Violetas na Janela

Violetas na janela
Copyright by © Petit Editora e Distribuidora Ltda., 1993
69-05-24-20.000-2.402.038

Direção editorial: Ronaldo A. Sperdutti
Capa, projeto gráfico e editoração: Ricardo Brito | Estúdio Design do Livro
Imagens da capa: Shevchenko Nataliya | Shutterstock
Error13 | Dreamstime
Serna | Stock Free Images
Revisão: Maria Aiko Nishijima
Impressão: Centro Paulus de Produção

Dados Internacionais de Catalogação na Publicação (CIP)
(Câmara Brasileira do Livro, SP, Brasil)

133.9 P314v	Patrícia (Espírito). Violetas na janela / ditado pelo Espírito Patrícia ; psicografado pela médium Vera Lúcia Marinzeck de Carvalho. – São Paulo : Petit. ISBN 978-85-7253-212-9 1. Espiritismo 2. Romance mediúnico I. Carvalho, Vera Lúcia Marinzeck de. II. Título. CDD: 133.9

Índices para catálogo sistemático:
1. Romances mediúnicos : Espiritismo   133.9

Direitos autorais reservados.
É proibida a reprodução total ou parcial, de qualquer forma ou por qualquer meio, salvo com autorização da Editora.
(Lei nº 9.610, de 19 de fevereiro de 1998)
Traduções somente com autorização por escrito da Editora.

Impresso no Brasil

Prezado(a) leitor(a),
Caso encontre neste livro alguma parte que acredita que vai interessar ou mesmo ajudar outras pessoas e decida distribuí-la por meio da internet ou outro meio, nunca deixe de mencionar a fonte, pois assim estará preservando os direitos do autor e, consequentemente, contribuindo para uma ótima divulgação do livro.

VERA LÚCIA MARINZECK DE CARVALHO

Ditado pelo Espírito PATRÍCIA

Violetas na Janela

Av. Porto Ferreira, 1031 - Parque Iracema
CEP 15809-020 – Catanduva – SP
17 3531.4444
www.petit.com.br | petit@petit.com.br
www.boanova.net | boanova@boanova.net

Livros da médium
VERA LÚCIA MARINZECK DE CARVALHO

Da própria médium:
- *Conforto Espiritual*
- *Conforto Espiritual 2*

Psicografados:

Com o Espírito Antônio Carlos
- *Reconciliação*
- *Cativos e Libertos*
- *Copos que Andam*
- *Filho Adotivo*
- *Reparando Erros de Vidas Passadas*
- *A Mansão da Pedra Torta*
- *Palco das Encarnações*
- *Histórias Maravilhosas da Espiritualidade*
- *Muitos São os Chamados*
- *Reflexos do Passado*
- *Aqueles Que Amam*
- *O Diário de Luizinho* (infantil)
- *Novamente Juntos*
- *A Casa do Penhasco*
- *O Mistério do Sobrado*
- *O Último Jantar*
- *O Jardim das Rosas*
- *O Sonâmbulo*
- *Sejamos Felizes*
- *O Céu Pode Esperar*
- *Por Que Comigo?*
- *A Gruta das Orquídeas*
- *O Castelo dos Sonhos*
- *O Ateu*
- *O Enigma da Fazenda*
- *O Cravo na Lapela*
- *A Casa do Bosque*
- *Entrevistas com os Espíritos*

Com o Espírito Patrícia
- *Violetas na Janela*
- *A Casa do Escritor*
- *O Voo da Gaivota*
- *Vivendo no Mundo dos Espíritos*

Com o Espírito Rosângela
- *Nós, os Jovens*
- *A Aventura de Rafael* (infantil)
- *Aborrecente, Não. Sou Adolescente!*
- *O Sonho de Patrícia* (infantil)
- *Ser ou Não Ser Adulto*
- *O Velho do Livro* (infantil)
- *O Difícil Caminho das Drogas*
- *Flores de Maria*

Com o Espírito Jussara
- *Cabocla*
- *Sonhos de Liberdade*

Com espíritos diversos
- *Valeu a Pena!*
- *O Que Encontrei do Outro Lado da Vida*
- *Deficiente Mental: Por Que Fui Um?*
- *Morri! E Agora?*
- *Ah, Se Eu Pudesse Voltar no Tempo!*
- *Somente uma Lembrança*

Livros em outros idiomas
- *Violets on the Window*
- *Violetas en la Ventana*
- *Violoj sur Fenestro*
- *Reconciliación*
- *Deficiente Mental: ¿Por Que Fui Uno?*
- *Viviendo en el Mundo de los Espíritus*
- *Fiori di Maria*

As violetas não só enfeitaram a janela do meu quarto, mas também a do mundo novo que surgia à minha frente. O amor permanecia além do tempo e do espaço.

Dedicatória

Um trabalho que temos a graça e a oportunidade de fazer, é nossa realização. Dedicar a alguém é demonstrar, reconhecer que eles também ajudaram de algum modo. A meus pais, José Carlos Braghini e Anézia Alba Marinzeck Braghini, que muito amo e aos quais muito devo.

Patrícia

Aos meus queridos amigos:

Recebo muitos pedidos para continuar trabalhando na literatura. Embora eu fique emocionada com tanto carinho, peço aos meus leitores que me perdoem por não escrever mais. Tive como tarefa fazer quatro livros,[1] narrar o que vi, o que encontrei e o que senti no plano espiritual. Concluídos esses livros fui realizar meu sonho, pois quando estava encarnada, estudava, lecionava e queria continuar fazendo isso.

---

1. Os quatro livros de Patrícia: *Violetas na janela*, *Vivendo no mundo dos espíritos*, *A casa do escritor* e *O voo da gaivota*. Todos editados pela Petit Editora.

Atualmente, moro numa colônia de estudo e não vou ao plano físico a não ser em raros momentos, quando vou é somente para rever meus familiares. Meu trabalho não inclui visitar centros espíritas, nem ditar mensagens, escrever livros ou prefaciá-los.

Amo muito vocês que me amam, que gostam do que escrevi e tenho certeza de que me compreenderão.

Da sempre amiga amorosa,

Patrícia

Algumas palavras da médium

Patrícia é minha sobrinha, filha de minha irmã. Tínhamos grande afinidade, éramos amigas.

Na adolescência, quase tudo o que ela pensava, estando eu perto, captava seus pensamentos com facilidade.

Chegamos a brincar com a telepatia. Uma vez, no sítio de seus pais, fizemos uma experiência. Cada uma de nós ficou em um quarto, ela pegava um objeto e transmitia, eu adivinhava. Deu certo, experimentamos com palavras, e com exatidão. Só ela conseguia transmitir, e eu, captar.

Como o acaso não existe, tenho a certeza de que nossos espíritos sabiam da tarefa que faríamos mais tarde.

Patrícia desencarnou aos dezenove anos, deixando uma lacuna e saudades da presença física, mas a certeza de que não nos separamos.

A vida continua, e é sobre esta particularidade, desta continuação, que ela vem amorosamente nos narrar, legando novos conhecimentos.

De minha parte, sou grata, profundamente grata ao Pai por me permitir desfrutar de sua companhia enquanto trabalhamos.

Vera
São Sebastião do Paraíso,
MG, 1992.

Sumário

	Prefácio	17
1	Despertando	19
2	Indagando	25
3	Primeiros conhecimentos	33
4	As visitas	43
5	A mudança	53
6	Violetas na janela	65

7	O teatro	71
8	Conhecendo a Colônia	83
9	Volitar	95
10	Aprendendo a nutrir-se	105
11	Relato das três amigas	119
12	Elucidações	129
13	A escola	139
14	Visita em casa	151
15	Psicografia	161
16	Uns vêm, outros vão	171
17	Necessidades	179
18	A história de Ramiro	189
19	Túmulo	201
20	No Centro Espírita	211

21	Doutrinação	223
22	Hospital	235
23	Férias	245
24	Natal	255
25	Sentindo as dificuldades	263
26	Trabalhando com Frederico	273
27	Preparando para estudar	287

Prefácio

Conheci Patrícia encarnada. Era uma menina que, de infante, tornou-se uma linda moça. Alta, magra, loura com cabelos cacheados e compridos, olhos azuis parecendo pedaços do céu. Sorriso franco e alegre, maravilhava a todos. Mas não foi essa beleza perecível que me chamou atenção. Era pura, delicada, cultivara a parte verdadeira, que a acompanhou na desencarnação. Era espírita. Tinha na Doutrina Espírita sua meta de viver. Inteligente, estudiosa, o conhecimento das verdades eternas era de seu interesse. Ouvia as orientações de seu genitor com profundo devotamento. Raciocinava sobre tudo o que aprendia. Quando a conheci, soube que ia deixar o corpo físico

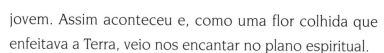

jovem. Assim aconteceu e, como uma flor colhida que enfeitava a Terra, veio nos encantar no plano espiritual.

Incentivei-a a ditar aos encarnados. Como amante da literatura, pedi a ela que narrasse aos nossos irmãos na carne sua experiência. Como é agradável a morte do corpo nos surpreender com a consciência tranquila, sem erros, vícios e com conhecimentos da vida espiritual.

Para minha alegria, Patrícia aceitou. Para este evento, estudou. Tarefa que não foi nenhum sacrifício, pois ama aprender.

Emocionado, apresento esta delicada alma que, com sua simplicidade, perfumará nossa literatura espírita.

Antônio Carlos

1
Despertando

Por muitas vezes acordei, para logo em seguida adormecer. Neste período, desperta, observei o local onde estava. Era um quarto com paredes claras e uma janela fechada. O local estava na penumbra. Sentia-me extremamente bem. Ouvia a voz de meu pai, ou melhor, sentia as palavras: "Patrícia, filha querida, dorme tranquila, amigos velam por você. Esteja em paz." Embora essas palavras fossem ditas com muito carinho, eram ordens. Sentia-me protegida e amparada.

Estava deitada numa cama alta como as dos hospitais, branca e confortável. Acordava e dormia.

Até que despertei de fato. Sentei-me no leito. Virei a cabeça devagar, observando o quarto, e foi então que vi ao lado do meu leito, sentado numa poltrona, um senhor. Quando o olhei, ele sorriu agradavelmente.

Apalpei-me, ajeitando-me entre os lençóis alvos e levemente perfumados. Estava vestida com meu pijama azul de malha. Arrumei com as mãos meus cabelos.

"Onde será que estou?" – pensei.

Não conhecia o local nem aquele senhor que, calmamente, continuava a sorrir. Não tive medo nem me apavorei. Fiquei calada por minutos, tentando entender. Até que o risonho senhor me dirigiu a palavra.

– Oi, Patrícia! Como se sente?

– Bem...

Pensei no meu pai. Senti-o. Interroguei-o mentalmente: "Papai, que faço?" "Calma, esteja tranquila, diante do desconhecido, procure conhecer; nas dificuldades, ache soluções. Pense em Jesus. O Divino Mestre é a Luz do nosso caminho." Papai respondeu dentro de mim, era como se pensasse com a voz dele. Senti coragem e ânimo, certamente eram fluidos que me enviava. Confiei. Voltei a cabeça na direção daquele senhor, olhei-o fixamente e indaguei:

– Como sabe meu nome?

– Patrícia é um lindo nome, conheço-a há tempo.

– Onde estou?

– Entre amigos.

Realmente sentia assim. Estava calma. Ter acordado num lugar desconhecido e com aquele estranho ao meu lado pareceu-me natural. E logo eu, que sempre fui tão caseira e avessa a estranhos. Interroguei-o novamente.

– Como se chama?

– Maurício.[2] Sou amigo de seu pai.

– É médico? Trabalha em nosso centro espírita?

Não me respondeu, seu olhar tranquilo dava-me calma. Observei-o detalhadamente. Ruivo, com sardas pelo rosto, olhos verdes, boca grande e sorriso agradável. Deixou que eu o observasse. Minutos passamos em silêncio. Até que ousei perguntar:

– Estou sonhando ou desencarnei?

---

2. Maurício, esse excelente amigo, é um dos personagens do livro *Reparando erros*, de Antônio Carlos (Nota da Autora Espiritual).

2
Indagando

Aquele estranho que, por afinidade, senti ser um amigo a velar por mim, continuava a sorrir. Olhou-me nos olhos. Lembranças de acontecimentos vieram-me à mente.

Ia levantar, era domingo, inverno, final de férias. Sentei-me na cama para trocar o pijama quente por outra roupa, quando senti uma tontura. A cama estava encostada na parede e foi nela que apoiei a cabeça. Parecia que algo explodia dentro dela. Estas sensações foram por segundos. Vi e ouvi por instantes, sem definir quem eram as pessoas ao meu lado.

"Calma, Patrícia, calma!" – alguém falou carinhosamente.

Senti que seguraram minhas mãos, como também senti mãos sobre minha cabeça.

"Dorme, dorme..."

Dormi realmente. As lembranças acabaram como que por encanto. O fato é que estava num quarto que não era o meu, e diante de Maurício. Olhei para todos os lados e entendi, não foi preciso ele responder, Maurício somente me ajudou a lembrar. Desencarnei. Estava tão calma que estranhei. Suspirei. O melhor era assumir. Não sabia que iria desencarnar um dia? Voltei a indagar Maurício, como se fosse um assunto banal:

– Que aconteceu? De que desencarnei?

– Uma veia rompeu no seu cérebro. Tem de haver um motivo para o corpo morrer quando é vencido o prazo de o espírito ficar encarnado. Foi por um aneurisma cerebral.

– Onde estou?

– Na Colônia São Sebastião. No hospital. Na parte de Recuperação.

– Recupero-me de quê?

– De nada, você está ótima, aqui está somente para se adaptar. Patrícia, lembra de sua avó Amaziles? Ela está aqui e quer vê-la.

A imagem de vovó veio à minha mente. Gostava muito dela. Estivera muito doente, depois piorou e foi para o hospital. Quando desencarnou estávamos, seus netos, a orar para que sarasse. Ao sabermos que desencarnara, pusemo-nos a chorar. "Como?" – minha irmã indagou. – "Estávamos a orar para que sarasse!" Minha mãe respondeu: "Suas preces foram ouvidas. Jesus, vendo que ela não poderia sarar no corpo, levou-a para que sarasse no plano espiritual". Senti, sentimos muito seu desencarne. Agora, ali estava ela querendo me ver... Corrigi meu pensamento: "Gostava? Não! Gosto muito dela!"

– Por favor, Maurício, peça-lhe para entrar – disse emocionada.

Vovó entrou no quarto de mansinho. Estava diferente, mais bonita, esperta e sem seus grossos óculos. Beijou-me na testa, e nos abraçamos demoradamente. Meus sentimentos naquele momento ficaram confusos. Senti alegria em vê-la, mas, também, tive a certeza de que eu realmente havia desencarnado. Senti um vazio e um ligeiro medo. Percebendo, vovó sentou-se ao meu lado, no leito. Sorriu feliz e disse:

– Patrícia, aqui é lindo! Logo poderei mostrar-lhe lugares maravilhosos. Você está tão bem! Tão linda! Necessita de alguma coisa? Quer que lhe faça algo? Você...

– Vovó – interrompi –, como está mamãe? Papai? Juninho? Carla e o nenê?[3]

---

3. Juninho e Carla são meus irmãos. Carla, quando desencarnei, estava grávida do seu primeiro filho (N.A.E.).

— Estão bem. São espíritas. O Espiritismo dá aos encarnados o entendimento da morte do corpo e, assim, eles compreenderam os acontecimentos e sabem que seu desencarne lhe trará muitas felicidades. Juninho está bem, e Carla também, irá ter um belo menino. Seu pai é firme como rocha e seu saber é o leme a dirigir o barco do seu lar.

— Vovó, eles não sentiram meu desencarne?!

— Sentiram. Claro que todos sofrem sua ausência e se ajudam mutuamente com muita compreensão. Fazem de tudo para mandar a você o carinho e o amor que sentem. Um dia vocês irão se encontrar, como agora se encontra comigo. Verá que nunca estiveram separados, porque o amor une.

— Vovó, por favor, cuide deles. O senhor também, Maurício. Ajudem-nos. Mamãe deve estar triste. Será que chora por mim? Ela poderá não querer se alimentar.

Maurício, desde que vovó entrara no quarto, ficou sentado na poltrona em silêncio. Como me dirigi a ele, rogando ajuda, tentou tranquilizar-me.

— Patrícia, no seu lar terreno eles só nos pedem que cuidemos de você. A menina nos pede para cuidar deles. O carinho sincero que os une é laço forte. Cuidaremos de você e deles. Estarei sempre com você até que se adapte bem, me terá por companhia. Estou encarregado de velar por você.

— Obrigada – respondi tentando sorrir, mas acho que fiz foi uma careta.

Foi me dando um sono, uma vontade irresistível de dormir. Deitei. Vovó ajudou-me a acomodar-me. Meus olhos foram se fechando. Os dois sorriam para mim. Vovó me beijou na testa e segurou minha mão.

— Acho que vou dormir...

3
Primeiros conhecimentos

Acordei bem disposta, estava sozinha, as lembranças vieram-me à mente: "Bem – concluí –, se desencarnei, tenho de me adaptar rápido e aprender como viver desencarnada".

Tinha lido muitos livros espíritas, pois gosto muito de ler, e veio-me à lembrança o livro *Nosso Lar*, de André Luiz. O autor narra bem como é viver numa Colônia. E, se estava em uma, só tinha motivos para agradecer. Desencarnei e não vaguei, não sofri, não fui para o Umbral. Estava sendo socorrida e sentia-me ótima.

Observei curiosa o quarto. Era simples, limpíssimo, com um armário, uma mesinha, duas cadeiras e uma poltrona. Na parede um espelho. Havia duas portas e uma janela.

"Será que me levanto?" – falei baixinho.

Após uma leve batidinha na porta, Maurício entrou sorrindo. Tive vontade de perguntar por que ria tanto, mas não o fiz, preferi sorrir também.

– Bom dia, menina Patrícia. Como está?

– Bom dia.

– Você também tem um lindo sorriso. Gosto de sorrir, fico menos feio e não assusto tanto. Depois, sou tão feliz...

Senti meu rosto queimar, devo ter ficado vermelha, ele pareceu nem notar e continuou a falar alegremente.

– Acordou disposta, está muito bem. Levante se quiser e fique à vontade.

– Sinto muito sono; acordo e quero dormir novamente. Dormi muito? Quantos dias?

– Você desencarnou há dezesseis dias. Dorme muito porque estamos atendendo a um pedido de seu pai, para que a adormecêssemos nestes dias.

– Por quê?

– Achamos que é o melhor para você. Assim, neste período difícil que é para os encarnados a perda de um ente querido, você dormindo não sente.

– Estão sofrendo muito?

– É natural que sofram. Seu desencarne foi rápido, não esperavam, você estava tão bem. Não deve se preocupar, o tempo se encarrega de suavizar todas as dores.

— Acho que vou dormir de novo.

Acomodei-me e dormi. Meu sono era tranquilo e gostoso. Quando acordei, estava só. Orei com fé, agradeci ao Pai o muito que recebia, roguei a Jesus amparo para minha família, pedi consolo a eles. Eu os amava e era amada. Se eles queriam que estivesse bem e feliz, eu desejava alegria a eles. Orei pensando em todos, um de cada vez. Senti mamãe triste. Ao pensar em papai, senti-o como se estivesse na minha frente a dizer com sua voz forte: "Patrícia, minha filha, não tenha dó de você, não deixe a autopiedade esmorecê-la. Seja forte, quero-a alegre. Sorria! A vida é bela, estando aqui ou aí não importa, o que precisamos é estar com Deus. Amigos cuidam de você, receba seus carinhos. Fortaleça-se, não tema. Você está bem, esforce-se para ser feliz. Estaremos sempre juntos. Você não deve se importar com a perda do corpo físico, deve entender que a vida lhe é grata. Ore. Sinta nosso carinho e sorria."

Fiquei animada, levantei-me, abri a outra porta e deparei com um banheiro bem bonito, limpo e simples. Abri a torneira da pia, a água com a temperatura ambiente era agradável e límpida. Lavei as mãos e o rosto. Olhei-me no espelho. Estava com ótima aparência. Ajeitei meus cabelos. Voltei ao quarto, abri o armário e deparei com algumas de minhas roupas. Não gostava de ficar com roupa de dormir, por isso escolhi uma calça jeans e uma camiseta amarela e troquei-me. Senti-me muito bem. Desencarnei no inverno, a temperatura estava bem baixa, mas ali não sentia frio.

Ouvi batidas na porta e, logo em seguida, Maurício entrou, mas desta vez fui eu quem sorriu. Trouxe uma bandeja que colocou em cima da mesa.

– Que alegria vê-la tão bem!

– Maurício, não estamos no inverno? Aqui não faz frio?

– Nem frio, nem calor. Nas Colônias a temperatura é sempre suave e agradável. No Umbral, a temperatura varia do mesmo modo que para os encarnados.

Descobriu a bandeja, continha alimentos.

– Patrícia, venha comer.

– Pensei que não fosse mais necessitar de alimentos.

– A impressão de estar encarnado não se perde da noite para o dia.

– Você se alimenta?

– Não – sorriu –, não desta forma. Lembro-lhe de que o perispírito de que agora está revestida é ainda matéria. Somente aos poucos deixará de se alimentar e, para isto, é necessário aprender a se prover de outras fontes de energia. Se quiser se banhar, fique à vontade, a sala de banhos ou banheiro está logo ali. Você, como tinha bons hábitos de higiene, é natural, só deixará de fazer o que estava acostumada quando aprender a se higienizar pela força de vontade.

— E estas roupas? São minhas. Como vieram parar aqui?

— Certamente não são as mesmas. Encarnada vestia roupas da matéria. Aqui são diferentes, são roupas próprias para desencarnados. Estas são cópias das que tinha. Plasmei para agradá-la. Troque-as à vontade.

— Obrigada. Acontece assim com todos os que desencarnam?

— Não. Você, Patrícia, veio para a Colônia por mérito e afinidade. Fez, quando encarnada, muitos amigos aqui, é querida. Amigos são para ajudar. No seu caso, tentamos lhe agradar. Infelizmente não é para todos que podemos fazer esses agrados. A maioria veste roupas confeccionadas com fluidos mentais, fabricadas na Colônia, como esta minha. Patrícia, somos companheiros de trabalho de seu pai. Ele nos pediu, confiou-nos você e espero cuidar bem da menina.

— Não fui para uma enfermaria!

— Se fosse, não acharia ruim. Talvez, por não desejar exclusividade é que podemos fazer tudo isso por você. Quartos individuais são para poucos somente. Alimente-se.

39

Havia na bandeja frutas, doces e pães. Peguei uma pera, estava deliciosa, comi-a num instante. Experimentei de tudo. As frutas eram saborosas; os pães, macios e deliciosos.

Maurício me observava sempre sorrindo. Acabei de comer e olhei-o. Queria tomar banho, mas estava com vergonha de dizer. Parecia tão estranho! Desencarnei e estava me alimentando e sentia vontade de tomar banho.

– Menina Patrícia – disse meu amigo –, fique à vontade. Tome banho, escove os dentes, use o vaso sanitário. Vou levar a bandeja, volto daqui a uma hora. Se necessitar de ajuda, toque a campainha.

Entrei no banheiro e tomei um delicioso banho de chuveiro. Sempre gostei de banhos de água quente e a água estava como queria. O chuveiro é um pouco diferente dos que conhecia, é regulado por um botão giratório.[4]

Lavei-me da cabeça aos pés. Coloquei a mesma roupa, senti-me muito bem. Penteei-me. Os cabelos longos e ondulados nos davam, a minha mãe e a mim, muito trabalho. "Que vou fazer agora?" – pensei. Mas, incrível, eles ficaram como queria.

Maurício, como prometeu, voltou.

---

4. Aqui, os aparelhos a que me refiro, não são do padrão geral. Para cada local são usados os que mais convêm e são úteis (N.A.E.).

— Oi, Patrícia!

— Maurício – disse entusiasmada –, meus cabelos ficaram como eu quis. Parece que obedecem à minha vontade.

— Será assim, você quer, sua vontade se concretiza. Terá, sem trabalho, seus cabelos como você gosta.

Como me alimentava, tinha as necessidades fisiológicas e, por isso, usava o vaso sanitário. Não tive mais menstruação, pois isto é fator do corpo físico. Mas soube que algumas mulheres ainda a tinham, como reflexo do corpo.[5]

Aos poucos fui dormindo menos, mas ainda acordava com fome e tinha sede. Alimentava-me de frutas, pães e caldos ou sopas de legumes. Gostei muito de todos os alimentos, tudo muito saboroso e energético. A água cristalina é a maior fonte de energia. Vovó recomendou que todas as vezes que eu bebesse água, pensasse que estava me alimentando. Tomava todos os dias meus gostosos banhos e trocava de roupa.

Quando encarnada, trocava de roupa, que era lavada e passada. Aqui, Vovó levava as roupas usadas e as trazia depois limpas, colocando-as no armário. Tempos

---

5. Mulheres que vagam nos Umbrais têm mais reflexos do corpo. Muitas se iludem e se julgam encarnadas e vivem como tal, sentindo todas as necessidades corporais (N.A.E.).

depois, vovó me explicou que levava minhas roupas e, com sua força mental, as limpava, deixando como gostava de usá-las. Quando aprendi a higienizar meu corpo pela vontade, aprendi também a limpar minhas roupas.

Estava calma e tranquila. Também, com tanto carinho, quem não ficaria?

4
As visitas

Abri a janela, que surpresa agradável! A vista dava para o pátio rodeado de árvores e flores. Pássaros coloridos cantavam alegres nos galhos das árvores, e algumas borboletas de rara beleza voavam distraídas. Mas encantei-me mesmo com o céu, era dia. À tarde, o firmamento é de um azul maravilhoso como nunca tinha visto. Distraí-me tanto que fiquei tempo olhando tudo, extasiada com tanta beleza.

— Patrícia — Maurício me chamou baixinho.

— Oi, Maurício!

— Chamei-a baixinho, temendo assustá-la.

— Maurício, estou encantada com tanta beleza. Nunca vi o céu tão lindo!

– É o mesmo dos encarnados. Vê agora diferente e acha mais bonito porque sua percepção visual é muito maior.

– A Colônia São Sebastião é do tamanho do Nosso Lar?[6]

– Não, nossa Colônia é pequena. Há Colônias pequenas, médias e grandes, como Nosso Lar. São muitas Colônias espalhadas pelo Brasil e pelo mundo. São como as cidades dos encarnados. Elas também diferenciam na sua administração, mas procuram ter todos os ministérios, ou seja, órgãos para melhor administrá-las. Para que entenda, são como secretarias nas cidades de encarnados. Todas as Colônias são muito bem organizadas e oferecem atrativos maravilhosos para os que estão aptos a ver e a sentir.

Tendo autorização para sair do quarto, vovó levou-me para passear naquela parte ou ala do hospital, onde estava localizado meu quarto. Andava observando tudo, desde os corredores até os outros quartos; foi muito agradável ir ao pátio. Sentamos num banco, eu olhava tudo curiosa. As árvores são sadias, de um verde bonito e suas folhas harmonizam com o conjunto. Os pássaros não nos temem, vêm até nós quando chamados.

---

6. Nosso Lar é a Colônia Espiritual que o autor André Luiz descreve com muito encanto no livro *Nosso Lar*, psicografado por Francisco Cândido Xavier (N.A.E.).

— Vovó, veja este, que lindo! É azul! Aqui tudo é mais bonito, o Sol, a Lua, as estrelas!

— O nosso estado de espírito influi, levando-nos a ver tudo mais bonito. Os animais, aqui, são amados, protegidos, são amigos. Temos nas Colônias animais domésticos e muitos outros que ajudam os socorristas. No Educandário, há muitos animais que encantam as crianças e, no bosque, há várias espécies, todas de animais dóceis e amigos.

Gostei muito das flores, há pela Colônia muitas trepadeiras floridas de muitas variedades.

Recebi muitas visitas, eram amigos, parentes e trabalhadores desencarnados do Centro Espírita do qual fiz parte. Eram visitas rápidas e agradáveis, todos procuravam me agradar. Traziam presentes: frutas, livros, flores, bônus-hora para que pudesse, logo que possível, ir ao teatro, a palestras e a outros lugares de lazer. Foi agradável conhecer Antônio, Alexandre, Artur e tantos outros amigos, companheiros desencarnados, trabalhadores do nosso Centro Espírita.[7]

Artur me trouxe um mapa da Colônia. Em quase todas as Colônias, há esses livretos, que mostram como

---

7. Amamos, minha família e eu, o Centro Espírita que eu frequentava e que eles ainda o fazem. E carinhosamente chamamos esse local de "nosso" (N.A.E.).

elas são e onde estão localizados seus prédios. Só não vi esses mapas nos Postos de Socorro, por não haver necessidade, pois são pequenos. Fiz uma lista dos lugares aonde queria ir e do que gostaria de fazer. A lista ficou enorme. Conforme ia conversando com os amigos que comentavam as belezas dos lugares, ia marcando no meu caderninho. Queria conhecer principalmente os locais de estudo.

– Vovó – indaguei –, e meus avôs? Ainda não os vi!

– Estão encarnados, é a lei da vida, ora aqui, ora lá...

Estava gostando realmente de estar desencarnada. Numa tarde, estava só e recebi outra visita.

– Boa tarde!

Entrou no quarto, ofertando-me um presente, um novo amigo trajado de branco. Sorrindo, estendeu-me a mão apresentando-se.

– Sou Antônio Carlos!

– Que prazer! Como vai a tia Vera?

– Todos vão bem. E você?

A agradável conversa durou alguns minutos. Em seguida, ele se despediu, prometendo voltar novamente.

Abri o presente. Dentro de uma caixa de plástico duro e transparente estavam "algumas coisas". Nunca tinha visto. Sem saber o que era, fiquei a pensar: "Serão doces? Bombons?" Tinham formato de pequenos botões azuis, mais escuros no centro e clareando nas pontas, com pequenos cabinhos. Abri a caixa. Examinei-os, o cheiro era agradável. Experimentei, gostei e comi.

Logo após, Maurício veio ver-me.

– Então, Patrícia, gostou das flores que Antônio Carlos lhe deu?

– Flores?! – respondi fazendo careta. – Eram flores?

– Sim, de uma espécie de rara beleza, magnetizadas para não secar. Que fez com elas?

– Comi...

– Comeu?!

Maurício deu uma bela gargalhada, mas ao me ver sem graça, ficou sério. Pensei: "E agora? Me farão mal?"

– Não – respondeu meu amigo, adivinhando meus pensamentos. – As flores não lhe farão mal. Imagine que Antônio Carlos ficou algum tempo a pensar o que iria trazer-lhe, a colher as flores em plano superior e a magnetizá-las. Elas não lhe farão mal, só que não era para comê-las. Mas, diga-me, são gostosas?

– São! Nunca vi flores azuis daquele modo, pensei que fossem doces confeitados.

Comecei a rir, rimos. Sempre fui distraída. Lembrei-me de Carla, minha irmã, pois ela estava sempre a me chamar a atenção sobre minha distração. Se ali estivesse, iria dizer com certeza: "Esta Patrícia..."

— Maurício, estou bem e quero ser útil, acho que para evitar estas "ratas" necessito aprender.

— Calma, menina, acaba de desencarnar. Tudo tem seu tempo. O recém-nato de hoje será o homem de amanhã. Sairá deste quarto e irá morar, por enquanto, com sua avó. Ela estará de licença do trabalho e ficará com você, lhe mostrará a Colônia, seus jardins e flores. Depois, aprenderá e será útil como quer.

Vovó, logo após a visita de Maurício, veio me ver toda contente.

— Patrícia, amanhã cedo virei buscá-la para ficar temporariamente comigo. Moro na parte residencial da Colônia, numa casa muito bonita, com cinco amigas. Todas muito simpáticas. A casa é grande, cada uma de nós tem um quarto privativo. Esse quarto é mais um local onde guardamos nossos pertences, um cantinho particular. Terá um só para você. É como este: quarto e banheiro. Levaremos suas roupas. Poderei ficar com você e a levarei para passear.

— Vovó, a senhora gosta daqui?

— Muito.

— Irá deixar seu trabalho para estar comigo?

— Não de todo. Trabalharei enquanto você dorme, serão algumas horas a menos. Mas por pouco tempo.

— Vovó, o que faz?

– Trabalho no hospital, em outra parte, onde estão os realmente enfermos do espírito.

– Vovó, obrigada! Todos são tão carinhosos comigo!

Vovó sorriu e despediu-se. Ao ficar sozinha, papai veio à minha mente: "Minha filha, não se aflija por nenhum motivo. Não tema o desconhecido. Deus está em toda parte, sinta-O. Aceite com alegria o que lhe está sendo ofertado. O tempo passa rápido e logo terá, no plano espiritual, seu lar, seu verdadeiro lar".

Peguei um livro para ler. Lembrei-me de que, quando desencarnei, estava também lendo um romance espírita. Este de agora me fora presenteado por Maurício e estava quase no final.

Parecia que minha vida não mudara em nada, ou mudaria?

5
A mudança

N o outro dia, de manhãzinha, vovó veio buscar-me e acabou ajudando-me. Colocamos meus pertences numa sacola de lona.

– Agora vamos, Patrícia. Caminharemos devagar, assim irá conhecendo a Colônia.

– Não vou me despedir de ninguém? Agradecer?

– Os amigos que cuidaram de você continuarão a vê-la. Maurício permanecerá ajudando-a. Por isso não necessita nem se despedir nem agradecer. Você irá gostar de minhas amigas, todas trabalham e ficam em casa somente algumas horas por dia. Estão esperando-nos em casa para dar-lhe as boas-vindas. A nossa casa é também sua e quero que se sinta à vontade. Ficará conosco até que inicie o curso que irá fazer, em que aprenderá como é ser e viver desencarnado.

Vovó pegou-me pela mão e falava animando-me. Olhei pela última vez o quarto e saímos. As palavras de papai soaram forte dentro de mim: "Coragem, não se entristeça, receba o que lhe oferecem com alegria".

Passamos por outro corredor e fomos à recepção, onde fica a portaria, ou seja, o local de saída e entrada, onde tem sempre uma pessoa para atender os visitantes e dar informações. Fiquei encantada com um bonito quadro pintado a óleo, que enfeitava uma das paredes. O artista retratou Jesus ensinando, procurou representar a formosa cena do Sermão da Montanha. Vovó, pacientemente, por minutos, esperou que eu contemplasse o quadro. Saímos do prédio. O hospital tem várias entradas e é todo rodeado por um bem cuidado jardim, com árvores frondosas e flores encantadoras.

Chegamos à rua. As ruas são largas, arborizadas e limpas. Observei o céu, lindo, de um tom de azul que não tenho palavras de comparação para explicar aos encarnados. Dei um longo suspiro, senti-me livre e pensei: "Se pudesse, voaria, a sensação de liberdade é muito forte".

— Vovó, não posso ir voando? Parece que posso voar.

— Poderá voar quando aprender a volitar. Você, quando encarnada, se desprendia do corpo enquanto dormia e volitava. Você sabe, irá recordar. Ensiná-la-ei outro dia.

Por algumas vezes, inspirei o ar com força. É delicioso respirar o ar puro, perfumado e leve.

– Vovó, não é estranho estar respirando? Como a senhora disse, logo estarei volitando, voando. Mas ao mesmo tempo respiro, sinto meu coração bater.

– Não é tão estranho assim. Acredito, Patrícia, que você sabe muito mais do que eu. Quando encarnada não tive estudos e entendia pouquíssimo do plano espiritual. Agora, aqui, tenho estudado e aprendo com alegria. Você sabe que nós, desencarnados, estamos revestidos pelo perispírito. Nosso espírito, nosso eu, ainda veste essa roupagem. Ele é formado por fluídos mentais que, às vezes, é confundido com o corpo carnal. Respirar é uma das últimas necessidades que dominaremos. Como a impressão do corpo ainda é forte, só com conhecimentos vamos deixando-a e, então, aprenderemos a viver com o perispírito. Nosso corpo agora é leve e podemos, pela vontade, locomovê-lo rápido.

– Quero aprender tudo o que puder!

Encontramos muitas pessoas, cumprimentavam-nos alegremente. Entendi que a maioria transitava para o trabalho.

Paramos várias vezes para que eu contemplasse ora os pássaros, ora as flores. Pelas ruas e jardins existem muitas árvores frutíferas e de várias espécies. Algumas conhecia, outras só de nome, são árvores oriundas da Região Norte, Nordeste e, também, de outros países. Nas Colônias, seus hóspedes e moradores aprendem a respeitar a natureza, ninguém estraga nada. As plantas são bem cuidadas e seus frutos são colhidos no tempo certo, maduros e para serem comidos. Até hoje, gosto de ver essas árvores, conheci todas as espécies existentes na Colônia e experimentei de seus frutos. São muito saborosos.

Paramos numa praça de forma arredondada, com lindos canteiros floridos e bancos confortáveis. Sentamos e fiquei muito tempo olhando com admiração para um chafariz, que tem formato de uma rosa, ladeada por lindos peixes soltando água pela boca. A rosa e os peixes parecem ser de plástico duro, fosforescente. Suas cores combinam harmoniosamente. Em toda a praça vibra uma música suave.

Vovó, vendo-me a observar as pedras do chafariz, disse contente:

– Ontem, ouvi uma linda palestra e, agora, vendo-a olhar as pedras, recordei-a.

– Vovó, fale-me dessa palestra, o que ouviu de interessante?

– Tentarei explicar-lhe do meu modo o que achei de mais importante, o que o sábio orador expôs, presenteando-nos na noite de ontem. Disse ele que Jesus, em suas célebres parábolas, nos fala das várias situações e circunstâncias em que o ser humano passa durante o seu período evolutivo, na sua permanência no orbe terrestre. Falando de rochas, vem-nos à lembrança seu ensinamento que diz ser sábio o homem que construiu sua casa sobre a rocha. O vendaval, a tempestade da mente e dos sentidos atinge a todos os homens indistintamente, maus e bons. Essas circunstâncias atingem toda a humanidade.

Jesus sempre usou símbolos para colocar neles um grande significado espiritual. A rocha é o símbolo da firmeza e da imutabilidade, pois podemos quebrá-la, fragmentá-la e, mesmo assim, sua natureza continuará sempre rocha. Assim é o homem consciente de que não é apenas uma personalidade passageira, sabe que sobrevive à vida do corpo mortal, suporta, ou melhor dizendo, tira proveito dos vendavais dos interesses temporais e das tempestades dos desejos de satisfação material para solidificar mais ainda sua união com Deus. O espírito precisa de um corpo para existir e esse corpo é como, no dizer de Jesus, a sua casa. É sua função ir transformando-o até a sua espiritualização. Nesta posição, seu corpo não lhe será um peso, nem a fonte de seus conflitos, pois, espiritualizando-se, seu objetivo será amar e servir a Deus.

— Que bonito! Vou gostar de ir às palestras.

— Vamos, Patrícia – vovó convidou-me a continuar o passeio.

Levantei-me e a segui. Voltaria ali com certeza, porque num lugar tão belo e agradável poderia ficar o dia todo contemplando.

Embora encantada com tudo o que via, sentia ser a Colônia um lugar querido e conhecido por mim. Retornara ao lar eterno, o verdadeiro.

— Patrícia, ali está o Teatro. Logo a trarei para que o conheça. É o Salão de Conferências.

— Salão de Conferências ou Teatro?

— Logo entenderá que aqui ouvirá termos diferentes para designar um mesmo local. Há palavras que divergem tanto aqui, como de uma Colônia para outra, de região para região. Por exemplo: sala ou quarto de banho, em vez de banheiro. Departamentos e Ministérios. São muitos os termos, é só prestar atenção.

Vovó foi conversando, dizendo como era a casa, os nomes das amigas etc.

Passamos por uma avenida toda arborizada, com casas dos dois lados. Eram todas com jardins e muitas flores.

— Vovó, não é tempo de as plantas florirem assim. Aqui sempre há flores?

— Temos as flores a enfeitar e a nos alegrar em todas as épocas do ano. Cuidamos delas com carinho. Cada morador cuida das de sua casa. E aqui elas duram mais, porque são alimentadas pela mente de quem as plantou.

Ela sorriu animando-me. Paramos. À minha frente estava uma casa muito bonita, um lar, circundada por pequeno jardim, com muitas flores a bailar com a brisa suave. Sorri, amei aquela casa.

— Entremos — disse vovó, pegando minha mão.

Atravessamos o jardim e uma pequena área coberta. Vovó abriu a porta de vidro. Na sala de visitas estavam as moradoras que, reunidas, esperavam-nos para dar-me as boas-vindas. Sorrindo, foram dizendo seus nomes.

— Oi, Patrícia, sinta-se à vontade.

— Seja bem-vinda, menina. Queira Deus que a tenhamos por muito tempo.

Vovó não exagerou, suas amigas eram agradáveis e simpáticas. Observei a sala, era grande, mobiliada com bom gosto, sem exagero, e com móveis parecidos com os que usam os encarnados de classe média. Sofás, poltronas, cadeiras, mesas, vasos com flores e quadros de bom gosto enfeitavam as paredes de cor clara. Vendo-me meio inibida, vovó Amaziles veio em meu auxílio:

— Patrícia, você necessita descansar. Venha conhecer o restante da casa e seu quarto.

A sala enorme se comunicava com outra, onde havia uma mesa e várias cadeiras. Dessa segunda sala há uma porta que dá para outra área com mais uma porta que vai dar em um corredor, onde estão os quartos.

O que achei muito bonito foram os lustres. São diferentes, práticos, realmente lindos. Nas Colônias e Postos de Socorro, quando é dia na Terra, é também aqui. À noite vemos estrelas, Lua, é também escuro. A Colônia, nesse período, é iluminada com luz artificial, a energia usada é a solar e de outra fonte que os encarnados nem imaginam ainda. As ruas, avenidas e praças são bem iluminadas, mas não são usados postes, como no plano físico. É como se a Colônia fosse uma grande sala e uma só lâmpada a clareasse. Os prédios têm lustres nos cômodos, como nas residências. A claridade é regulada para forte, média ou pouca claridade, as pessoas a controlam conforme suas necessidades. As noites nas Colônias são de rara beleza. A primeira vez em que vi a Colônia iluminada, passei horas a contemplá-la. As árvores, as flores, tudo parece quietar e adormecer. Não há cantos escuros.

– Aqui está seu quarto! – disse vovó.

Ela abriu a terceira porta do corredor e ali estava meu quarto, um espaço só meu. Achei lindo. Arejado, grande, com um lustre lindo e delicado em formato de um

botão de rosa. Tinha uma cama, um armário, uma mesa-
-escrivaninha, duas poltronas e um banheiro. A decoração
era toda cor-de-rosa bem clarinho. Meus olhos fixaram-se
na janela. Encantei-me com a maravilhosa surpresa.

6
Violetas na janela

A janela estava aberta, dando a visão bonita da parte direita do jardim. Possuía um delicado beiral de madeira clara e nela estavam vários vasos de violetas. Vasos floridos, com violetas coloridas e lindas.

Lembranças vieram-me à mente. Recordei-me dos vasos de violetas de minha mãe, que enfeitam os vitrôs de nossa cozinha. Pareciam as mesmas.

– E são! – disse vovó. – Anézia plasma com muito amor as violetas para você. São réplicas das que enfeitam a cozinha do seu lar terreno.

– Mas, vovó, como isto é possível? – indaguei admirada.

– Sua mãe a ama muito e sente muita saudade. Saudade vinda do amor não satisfeito pela ausência do ser amado. Dela emana continuamente esse amor e saudade por você. Ela não desejava ou esperava sua vinda. Está se esforçando para não prejudicá-la, e assim canaliza seu carinho e oferece as flores a você. É uma maneira que ela encontrou para demonstrar seu amor. É uma oferta contínua. Com nossa pequena ajuda, de seus amigos aqui, esses fluidos foram e são condensados e aí estão: maravilhosas violetas.

– Vovó, por que a senhora diz meu lar terreno?

– Podemos ter muitas moradas. Você é amada. Cada coração que nos ama é como um lar a confortar-nos. Poderia dizer ex-lar. Mas, para todos, ele será sempre seu. Não a casa terrena na sua moradia física, mas um lar cheio de amor, onde é lembrada com alegria. Você é filha, irmã, tia e amiga, e não a que foi.

Aproximei-me das violetas, sua emanação fortaleceu-me. Vieram com um recado: "Patrícia, quero-a feliz! Nós a amamos, amo-a! Não desanime, viva com alegria. Que estas violetas enfeitem onde você está, onde irá passar a maior parte do tempo".

Aquelas florzinhas delicadas, coloridas, saudavam-me.

Vovó me deixou sozinha.

Mamãe gosta muito de flores e cuida delas com carinho. Não poderia ter recebido melhor presente. Por alguns minutos fiquei a recordar acontecimentos, histórias dos vasos, ela plantando e regando as flores. Sua risada alegre, seu carinho especial.

    Senti-me fortalecida e sorri contente. O amor forte e sincero de minha mãe acompanhava-me, protegendo-me como sempre, dando-me coragem e alegria. Amor de mãe é como um farol a iluminar seus entes queridos e a perfumar suas existências. As violetas encantavam-me, não só enfeitariam a janela do meu quarto, mas a janela do mundo novo que se defrontava à minha frente.

    Violetas na janela...

7
O teatro

Meu novo lar era muito agradável, gostei demais. Fiquei como filha e neta das senhoras amigas de vovó. Agradavam-me oferecendo mimos e distraíam-me com conversas agradáveis. Procurei ler bastante e dar longos passeios pela Colônia. Pelo que lera quando encarnada, imaginava as Colônias lugares maravilhosos, mas ao "vivo" são muito mais emocionantes. Às vezes, extasiava-me com tanta beleza. Só não tinha ainda ido conhecer a outra parte do hospital, onde estão os doentes mais necessitados.

Comparo a Colônia São Sebastião com uma cidade de porte médio, sem os excessos de luxo ou de pobreza. As casas são de mesmo nível, diferenciando apenas de tamanho, todas têm jardins e muitas flores. Tudo muito organizado, seus administradores visam somente o bem comum.

As visitas continuaram, de parentes, de pessoas que foram beneficiadas por meu pai e de nosso grupo espírita. Recebi muitas orações, que vinham até mim como recados, inclusive de pessoas que nem conheci. Retribuí cada prece a mim dirigida, agradecendo o carinho com que me vi cercada.

Artur, companheiro desencarnado de meu pai, vinha sempre visitar-me, é alegre e respondeu-me quando agradeci:

– Louvado seja o Pai, que nos permite fazer o bem pelo muito que recebemos.

Artur presenteou-me com uma espécie de televisão, que ele mesmo instalou em meu quarto. Esse aparelho tem outro nome científico aqui, mas como conhecemos a televisão e como é relativamente parecido com ela, nós o chamamos assim. É mais leve e bem mais equipado. Ligou-o e o sintonizou. Pude ver todos os meus familiares. Todos estavam bem, mas achei minha mãe abatida e triste. Tinha permissão de vê-los por alguns minutos por dia.

– Todos aqui podem ver seus familiares? – indaguei a Artur.

– Infelizmente não, e por vários motivos. Nem todos têm equilíbrio para ver sua família. Nem todos merecem esse presente.

Vê-los foi grato a meu coração, pois amenizava a saudade.

Em todas as residências há um aparelho como esse, só que nem sempre está sintonizado nos encarnados. Na casa de vovó, está na sala e transmite o noticiário da Colônia, dos Postos de Socorro, do Umbral e de outras Colônias, do Brasil e do mundo. Notícias do plano espiritual e as mais importantes do plano físico, mas sem sensacionalismo e mentiras. Transmite preces belíssimas, de convidados de esferas superiores, peças teatrais, palestras e apresentações de corais.

É muito agradável, na casa de vovó, todos gostam de assistir à programação que a Colônia oferece.

Vovó me apresentou Frederico. Disse que era um amigo. Veio nos visitar e presenteou-me com um lindo ramalhete de rosas coloridas.

– Oi, Patrícia – Frederico disse gentilmente –, conheço-a há muito tempo. Espero que se sinta cada vez melhor entre nós.

Achei-o bonito, seu aspecto jovem, louro de olhos azul-esverdeados. Senti que já o conhecia. Foi aquela sensação de "conheço não sei de onde". Senti-me à vontade a seu lado e conversamos por horas. Convidou-me para ir ao teatro, mas vendo-me indecisa, recomendou:

— Patrícia, pergunte à sua avó se pode ir.

Vovó aplaudiu a ideia. Combinamos o horário, Frederico viria me buscar, pois ainda não sabia bem como ir a certos lugares aqui.

Quando ele saiu, vovó me disse:

— Patrícia, aqui estão os que se afinam com este lugar. Não precisa temer ninguém nem desconfiar como, por prudência, fazia quando encarnada. Por isso é que aqui, nas Colônias, há tranquilidade e ordem.

— Isso é bom demais! Não precisar desconfiar, não ter medo de outro ser humano.

Fiquei ansiosa, esperando o horário de ir ao teatro. Sentia alegria em conhecer tudo. Teatro aqui é só cultura e, como tudo na Colônia, é feito, realizado para o bem de todos.

Frederico pagou para mim. O lado externo do prédio do teatro é muito bonito. Grande, bem planejado, com colunas grandes na frente e com o telhado em V. Possui três grandes portas na frente, de material parecido com madeira trabalhada em relevo. É pintado de branco, em toda sua volta há plantas e flores muito bonitas. Entre as colunas e as portas há uma área de uns quatro metros e, para chegar a essa área, cinco degraus. No interior, é mais bonito ainda. A sala de espetáculo é enorme, com poltronas confortáveis e paredes claras, enfeitadas com lindos quadros. O palco é parecido com o das salas de espetáculo da Terra. Gostei demais. Tempos depois, ao conhecer outras Colônias, vi outros teatros, com salas bem diferentes. No plano espiritual, as Colônias têm suas variedades. Assistimos a uma apresentação de peça adaptada do romance espírita *Renúncia*, de Emmanuel, que havia lido quando encarnada, psicografado por Francisco Candido Xavier.

— Patrícia, muitos encarnados têm permissão de, em certas ocasiões, durante o sono, ver peças teatrais que grupos desencarnados fazem no plano espiritual. Artistas encarnados já fazem peças com temas espíritas. Esta que vimos, ou uma mais ou menos parecida, logo vai alegrar encarnados. E, como esta, muitas outras com temas espíritas surgirão para instruir divertindo os encarnados. E farão muito sucesso.[8]

Voltei muitas vezes ao teatro. No começo, amigos me levaram e me ofertavam, com seus bônus-hora, o ingresso. Depois, quando comecei a trabalhar, era com orgulho que adquiria o meu ingresso. Gosto muito quando

---

8. Realmente, essas peças teatrais são sucesso entre os encarnados (N.A.E.).

grupos de jovens apresentam suas peças teatrais. As crianças também gostam dessa atividade e apresentam-se muitíssimo bem.

O teatro só tem livre acesso em certas ocasiões ou para algumas palestras. Do contrário, temos de ter bônus-hora para desfrutar desse prazer.

Há também muitos concertos musicais, cantos em corais e individuais. Algumas das músicas apresentadas são conhecidas dos encarnados: as que são bonitas, que falam de assuntos agradáveis e bons. Outras são desconhecidas. Algumas são comuns aos moradores da Colônia.

O teatro, ou, como vovó disse que aqui o chamam sala de apresentação, ou de conferências, é usado também para algumas palestras sobre temas que interessam a pequenos grupos. Quando de interesse de todos, são realizadas nas praças.

Para sabermos quais as atividades a serem apresentadas no teatro, há um quadro na frente com a programação da semana e do mês. Também podemos encontrar em vários pontos da Colônia listas com essas atividades.

O teatro é muito frequentado e todos cuidam dele como se fosse seu lar.

Gosto tanto da Colônia que fico admirada ao saber que existe quem não goste daqui. Comentei esse fato com Frederico:

— Frederico, como pode haver pessoas que não gostam daqui?

— Gosto e afinidades diferem muito, tanto entre encarnados como entre desencarnados. Pessoas não mudam só porque desencarnaram. Observe os encarnados: uns gostam de bares, de prostíbulos, outros de templos religiosos e de lugares de estudos. Ou, ainda, de perigo, de lugares barulhentos e, outros, de paz, da natureza. Muitos encarnados ficam indiferentes diante de uma bela obra de arte, de uma delicada música, de um canteiro de flores, enquanto outros amam o que é simples, o que faz bem ao espírito. Muitas pessoas pensam que o desencarne lhes será maravilhoso porque, na opinião delas, não fizeram o mal, mas também não fizeram o bem. Nem se afinam ou vibram com o que tem a Colônia para oferecer. Tenho conhecimento de pessoas boas que desencarnam e vêm à Colônia, visitam tudo, acham lindo, mas não querem ficar, preferem estar encarnadas. Escutei de um senhor, maravilhado com a Colônia, que era como se tivesse feito uma viagem a um lugar encantador. Gostou, mas queria voltar. Aqui não era, na opinião dele, para morar.

— E aí?

— Teve de entender que desencarnara e que não podia voltar. Aconselhado a se acostumar, entristeceu-se, mas acabou por se adaptar. Outros não gostam mesmo, porque aqui não fumam, não bebem álcool ou comem carnes. Estão aqui para aprender a servir e muitos só querem ser servidos. Nem todos acham aqui um local divino como você e eu. Mesmo muitos dos seus moradores não têm o mesmo gosto. Uns se encantam com sua arquitetura, outros, com os locais de estudo, outros se maravilham com as plantas etc.

— E você, meu amigo, do que mais gosta?

— Em todas as Colônias que visito, são os hospitais que me chamam a atenção. Fui médico em minha última encarnação. Amo a medicina. Estou sempre trabalhando nessa área.

— Ainda não sei do que gosto mais. Acho tudo tão lindo! Tenho vontade de trabalhar, mas ainda nem sei em quê.

— Sabe, Patrícia, enquanto não há a cosmificação[9] do espírito, a personalidade necessita preencher o seu vazio com atividades. Os bons construindo, aliviando, crescendo e evoluindo. Os avessos à unidade, destruindo, envolvendo-se em prazeres e sensações negativas, esbanjando o que pertence à natureza.

---

9. É a autorrealização do indivíduo em Deus ou no Cosmo (N.A.E.).

— Que pena ver irmãos enganados na ilusão da matéria, cegos para as verdades espirituais e tão longe de merecer viver, como desencarnados, num lugar maravilhoso como este!

8
Conhecendo a Colônia

Frederico levou-me para andar de aeróbus. São conduções coletivas usadas no plano espiritual. Em quase todas as Colônias há aeróbus de três tamanhos: grande, para muitos passageiros, médio e pequeno. Como não tenho com o que comparar esse meio espetacular de transporte, poderia dizer que é um ônibus com mistura de avião, sem barulho, sem poluir, confortável e muito limpo. Não tem asas. Tem os pontos certos onde param, para descer e subir passageiros. Há aeróbus que transitam só pela Colônia e alguns que vão de uma a outra e, ainda, da Colônia à Terra. Eles não transitam pelo Umbral, a não ser em raras exceções, indo direto a Postos de Socorro lá localizados. É muito confortável, não dá solavancos e desliza suavemente rente ao chão, ou metros acima dele. Nas viagens maiores, como vinda à Terra, desliza pelo ar. Os passageiros sentam-se em confortáveis poltronas. Os que transitam pela Colônia não possuem condutor e nos lugares em que devem parar, há um pequeno marco onde há um painel com botões. Aperta-se o botão indicando para onde se quer ir, o primeiro aeróbus que passar com destino ao lugar marcado, para. Os aeróbus que transitam fora da Colônia têm um condutor que, além de dirigi-lo, ajuda no trabalho que se vai realizar.

A vista do alto é muito bonita. Planejada, suas ruas e avenidas têm traçado perfeito. Os prédios são harmoniosos e todos ocupados, servindo à comunidade. Gostei muito do passeio.

A Colônia São Sebastião fica no espaço espiritual da cidade em que vivi encarnada.

Estranhando o fato de ela ter um nome de santo, perguntei a Frederico:

— Frederico, por que a Colônia se chama São Sebastião?

— Patrícia, são inúmeras colônias pelo Brasil e pela Terra. São como cidades, têm de ter um nome para facilitar e nomes não importam, são apenas designações. Ao ser projetada há tempo, seus benfeitores a chamaram provisoriamente de São Sebastião para não dizer Paraíso, que poderia ser confundida com Paraíso-Céu. Pronta, continuou sendo São Sebastião. São é título dado ao bravo guerreiro Sebastião. Esperam os benfeitores que todos os moradores da Colônia venham a ser bravos guerreiros e vencedores dos seus defeitos e vícios.

Recebi de presente alguns bônus-hora, e todas as distrações e lazer os amigos pagavam para mim. Achei um tanto estranho, parecia pagamento por ser útil, um trabalho remunerado. Um dia, ao voltarmos do teatro, acompanhavam-me Maurício e Antônio, indaguei-os:

— Que é realmente bônus-hora?

— Patrícia — Maurício elucidou-me —, a maioria dos homens trabalha por estímulo, para usufruir de um prazer ou sensação. A maioria não concebe ainda a humanidade como uma só família. Com a perda do corpo físico pelo desencarne e para que não percam o estímulo de trabalhar, é necessário que continuem recebendo algo como prêmio pelo seu trabalho. Mais tarde os levará a fazê-lo por uma causa maior, por amor. Espíritos superiores veem as Colônias como lugares de transição e o bônus-hora como um período da evolução. Esta é a razão pela qual os estagiários das Colônias recebem o seu salário em bônus-hora.

— E quem trabalha muito e por muito tempo, como os governantes, os instrutores das Colônias, também recebe?

Maurício continuou a elucidar-me:

– Os instrutores não mais necessitam de prêmio, por serem bons, mas por amor à família humana permanecem nas Colônias, no meio dos aspirantes. Para não os menosprezar, não se destacarem e não serem confundidos com vaidosos, usam os bônus para se igualarem ao nível dos moradores que ainda pensam em prêmios e castigos. Todos utilizam os bônus-hora para não haver grupos de protegidos e de desprezados. Os que trabalham bastante e que poderiam receber muito solicitam somente os que lhes são necessários.

Entendi que meus acompanhantes não trabalhavam para ter bônus-hora, utilizavam-se deles somente quando necessário. Os dois muito trabalhavam e por amor. Curiosa, indaguei-os novamente e, desta vez, foi Antônio que respondeu prazerosamente.

– Há nas Colônias os que não trabalham e, por isso, não têm direito ao bônus, ao lazer?

– Há, mas o estágio nas Colônias para esses espíritos não é longo, e nem pode ser, porque ociosos não se afinam com as vibrações delas. Eles, fatalmente, na primeira oportunidade, reencarnam em meio a espíritos ociosos, onde vão sentir falta do conforto que tiveram e não valorizaram.

Lugares que visito com frequência e de que gosto realmente são as bibliotecas. Elas diferem de tamanho, dependendo da Colônia. São maiores e mais completas nas Colônias de Estudo. Também há bibliotecas nos Postos de Socorro, só que menores.

A biblioteca da Colônia em que estagiei é muito bonita. Livros são organizados em estantes, tudo com muita ordem. Fiquei maravilhada por não encontrar livros velhos. Estão sempre novos, renovados pela mente dos que os plasmaram. Maurício explicou-me que os livros estão sempre novos porque, como todas as visualizações ou materializações do plano espiritual ou astral, são de energia psíquica, não envelhecem. Há livros escritos somente para desencarnados, que só são encontrados no plano espiritual. São inúmeros livros de estudo, pesquisas, religiosos e, em destaque, os espíritas. De grande parte deles os encarnados também dispõem para ler, principalmente os espíritas.

Procurei um livro e, não o encontrando, o bibliotecário gentilmente me disse:

– Patrícia, a Colônia de Estudo tem esse livro, quer que o peça para você?

– Quero, quando volto para o apanhar?

– Ora, espere uns minutos que estará aqui.

Por um aparelho parecido com o moderno fax, fez o pedido e dez minutos depois, pelo mesmo aparelho, recebeu o livro que queria.

– Puxa! – exclamei admirada.

– Não é uma maravilha? – falou entusiasmado o trabalhador da biblioteca. – Dispomos de muitos recursos, recebemos o livro pela desintegração e aglutinação. Não duvido que, daqui a alguns anos, os encarnados possam dispor dessa comodidade.

"Legais" são os livros que podemos colocar na televisão, a parte escrita aparece na tela e, assim, vamos lendo página por página, graças a um pequeno aparelho adaptado à tela. Não posso compará-lo ao videocassete, é diferente. É agradável ler pela televisão.

Próximas à biblioteca estão as salas de vídeo, também chamadas de Salas de Estudos Computadorizados ou Salas das TVs e podem ser ainda conhecidas por outros nomes.[10]

É um galpão enorme repartido em salas, conforme o assunto a ser ventilado. São lugares confortáveis e agradáveis. Há em cada uma das salas vários e eficientes computadores que podem ser ligados por controle remoto. Na frente de cada aparelho, há dez poltronas muito bonitas e confortáveis. As telas variam de tamanho. Se queremos ver ou estudar um assunto individualmente,

---

10. Não é fácil descrever essas salas para os encarnados. Narro fazendo comparações (N.A.E.).

regulamos a tela ao tamanho pequeno, ficando como uma televisão de vinte polegadas. Se é para um grupo, regulamos para o tamanho médio. Se é para muitas pessoas, para o tamanho grande, variando de dois a cinco metros. As salas não são tão altas assim, têm somente três metros e meio. Esses aparelhos podem ser locomovidos, se for necessário, para a projeção maior.

São várias salas com os assuntos marcados na porta de entrada. Os temas para estudo são sobre as Colônias, Perispírito, Química, Física, Terra, Planetas etc. Uma sala interessante é a das religiões e da Bíblia.

Ao visitarmos uma dessas salas, escolhemos um assunto para pesquisar. Exemplo: o olho humano; podemos escolher o tipo de programação: fácil, explicativa ou completa. Ao escolher a fácil, aparecem na tela, resumidas, as explicações básicas sobre o olho. São narradas com algumas partes escritas, o olho é desenhado em todos os seus ângulos. Se a pesquisa é individual, coloca-se o fone de ouvido para não atrapalhar os outros pesquisadores. Ao escolher a programação explicativa, a pesquisa aparece com muito mais dados. A terceira fase, a completa, a difícil, é assunto para profissionais. Tudo é muito esclarecedor, mas se por algum motivo não se entendeu a pesquisa, encontramos sempre nessas salas estudiosos, mestres que têm o prazer de orientar e ensinar.

Há a sala para distração, que possui desenhos animados, bons filmes, alguns dos quais os encarnados veem, e outros feitos por desencarnados: têm histórias bonitas que instruem e divertem. Há sala de jogos eletrônicos, são para o lazer. Os orientadores procuram esclarecer os frequentadores da sala de jogos, porque estas são para educar e distrair, e não para levar a excessos. Os vícios são todos combatidos.

Comparando, podemos dizer que essas salas são uma mistura de cinema-televisão-computadores aperfeiçoados.

Só não usamos do bônus-hora para entrar nessas salas quando estamos em pesquisas da escola ou de curso de estudo. Este é bem frequentado pelos estudantes.

Quase todas as Colônias têm essas salas, mas não as vi em Postos de Socorro. Nas Colônias de Estudo elas são bem grandes e são inúmeros os assuntos.

Gostei e gosto muito de pesquisar nessas salas. Conhecendo quando encarnada o cinema, a televisão e o computador, encantei-me diante dessa tecnologia. Mas o que mais gostei foi de usar esse processo para ver, conhecer as obras de Allan Kardec. Aparecem as imagens dele e de sua equipe encarnada e desencarnada trabalhando em cada obra. Estudando, pesquisando e sendo orientado pelos benfeitores que o ajudaram. Ver

São Luiz, Santo Agostinho e tantos outros fascinou-me. Que espírito fantástico é Allan Kardec! Por muitas vezes fui às salas para ver toda a obra e o que há sobre ele e seus trabalhos admiráveis. Este é um dos temas mais vistos, principalmente pelos que tiveram a ventura de serem espíritas, quando encarnados, ou de conhecer sua grandiosa literatura.

Maravilho-me com tudo isso. Afinal quem não gosta ou gostaria de dispor dessas facilidades?

9
Volitar...

T inha sempre notícias de casa, dos familiares. Continuava recebendo muitas orações, estímulos, votos de alegria e para que me adaptasse logo à vida espiritual. Amigos escreviam, dando notícias minhas aos meus, pela psicografia, por meio de tia Vera.

Alegrei-me quando Maurício disse:

— Menina Patrícia, escreva um bilhete à sua mãe que transmitirei por sua tia.

Emocionada fiz o bilhete, agradecendo-lhes o carinho, dizendo que estava bem e mandando abraços.

Comecei, então, sempre a escrever, e um dos meus amigos transmitia à tia Vera. Estava tranquila, o desencarne para mim não fez grande diferença, por nenhum momento senti-me separada dos meus. Entendi que não perdi a individualidade, continuava a mesma, meu amor pela família era o de sempre. Não podemos separar nossa vida, ela é um todo, e estar encarnada ou desencarnada são fases. Recebia muito, compreendi também que somos herança de nós mesmos. A reação é conforme a ação.

– Patrícia – vovó chamou-me –, venha à sala, vou lhe dar as primeiras lições de volitação.

Fui depressa. Na sala estavam três das moradoras da casa, que me incentivaram.

– É fácil! – falaram elas. – Você sabe, saía do corpo quando encarnada, enquanto dormia. É só firmar o pensamento e a vontade.

– Volitar – disse vovó, como se tivesse decorado – é esvoaçar, volatear, locomover-se no ar pelo ato da vontade.

Vovó pegou-me por um braço e d. Amélia por outro e ensinaram-me a dar o impulso. Tentamos várias vezes, até que dei sozinha o impulso e levantei a um metro do chão. É mais fácil dar o impulso na vertical, para depois ir na horizontal. Fiquei parada. De novo recebi ajuda das duas que, devagar, me empurraram. Incentivaram-me alegres. É, realmente não foi difícil, logo estava no meio da sala volitando devagar de um lado a outro.

– Até aprender realmente, não se distraia – vovó recomendou. – Volitar é como aprender a andar quando se está encarnada, a pedalar uma bicicleta ou nadar. Depois que aprende a dominar, faz automaticamente.

Sabia o que era volitar, lera sobre o assunto em diversos livros espíritas. A sensação que tinha era de voar. Realmente é muito agradável e bom. Sabia também que espíritos desencarnados atravessam paredes, portas etc.

Dei um forte impulso, rumando para a parede, quando escutei vovó:

– Não, Patrícia, não!

Bum... Bati a cabeça na parede e caí sentada no chão. Minhas amigas correram e rodearam-me, ninguém riu. Olhei para elas e acabei rindo. Fora um tombo e tanto. Levantei e quis saber.

– Ei, vovó, por que não pude atravessar a parede?

– Patrícia, você só poderá atravessar quando souber. Você leu que desencarnados atravessam paredes, portas, mas de construções na matéria, ou seja, casas de encarnados e, assim mesmo, os que sabem, os que têm consciência do seu estado de desencarnado e aprenderam.

– Só os bons sabem? – indaguei.

– Não, os maus sabem e se utilizam muito desse conhecimento. Saber depende da nossa vontade, do livre-arbítrio e assim todos podem. Os bons sabem mais porque têm quem os ensine, além de mais interesse em aprender. A construção da Colônia não é como a construção dos encarnados. Ela é uma projeção mental. Para que entenda, é feita da matéria sutil como a do nosso perispírito, como este corpo que agora temos. Certamente, há os que sabem atravessar esta matéria sutil, tanto os irmãos superiores como os inferiores. Embora nossos irmãos superiores, designo-os assim para que possa entender, quanto mais harmonizados estejam com o Cosmo, maior poder mental têm. E, para transpor uma barreira mental, é preciso não duvidar do poder de fazê-lo. Já vi um instrutor fazer. Ele projetou uma passagem e atravessou. Mas isso é usado somente em alguma eventualidade. Você não ouvia, quando encarnada, que em Centros Espíritas, para determinada ajuda os irmãos desencarnados ficam confinados em um local, até poderem ser orientados? Em muitos Centros Espíritas, junto com a construção material, é projetada esta energia mental pelos benfeitores. Assim, tanto encarnados como desencarnados só podem entrar e sair pela porta. Essas projeções também são feitas em certos lugares e por determinado tempo para evitar ataques das trevas. Atravessam só os que sabem e conseguem. Talvez, se você quiser, aprenderá no futuro.

Realmente, não tinha visto ninguém entrar em nossa casa nem em qualquer outro local, na Colônia, volitando. Todos entravam e saíam tranquilamente pela porta, abrindo-a e fechando-a.

Achei graça do meu tombo e ainda sorrio quando recordo.

Anos depois, estava ensinando meu primo a volitar e lembrei-me do fato. Resolvi brincar com ele.

"Vamos, Rodolfinho, venha! É isso aí! Vai!"

Rumei-o para a parede e soltei. Segurei o riso. Pensei que, como eu, iria bater a cabeça. Mas Rodolfinho não sabia que desencarnados atravessam paredes, não viera como eu, com conhecimentos do plano espiritual.

Ele chegou perto da parede, apalpou-a com a mão, virou a cabeça e indagou:

"Patrícia, que faço agora?"

"Vira e volta" – disse um pouco decepcionada.

Aprendi em poucas lições a volitar pela casa, pelo nosso jardim. Pensava em volitar, firmava o pensamento, e subia metros do chão e ia para onde queria.

Vovó me levou ao campo, ou pátio da escola, onde instrutores ensinam a volitar. Fui toda contente.

A escola é muito grande, tem várias áreas e prédios. É muito bonita e agradável, rodeada de árvores e canteiros floridos.

O pátio é grande, parte gramado, parte ladeado com lindos ladrilhos cinza-claro, em sua volta há bancos e flores. Na Colônia São Sebastião, esse campo é repartido em duas áreas. Numa parte os principiantes aprendem a volitar; na outra, a alimentar-se pela respiração.

Escutam-se pela Colônia melodias agradáveis e suaves. Nos pátios o som é mais alto, porém não menos agradável. A música suave relaxa e incentiva o trabalho e o aprendizado.

Fiquei encantada, admirando tudo, curiosa. Na parte ou campo de volitação, havia cinco instrutores. Cada um com um pequeno grupo de aprendizes. O primeiro grupo, do qual estávamos perto, tinha uns desencarnados que não davam impulso. O instrutor carinhosamente tentava ajudá-los, mas eles pareciam temer. Indaguei a vovó:

– Por que eles nem querem dar impulso? Será que não gostam de volitar?

– Talvez duvidem que conseguirão. Nem todos, Patrícia, aprendem fácil ou gostam de aprender. Sei de muitos desencarnados daqui da Colônia que não sabem porque não querem aprender.

– Será que estes conseguirão?

– O fato de eles estarem aqui é porque querem aprender. Muitos deles, não tendo nem ideia quando encarnados dessa possibilidade, desencarnados estranham muito e, pior, duvidam. Mas quem quer, aprende.

Vovó me inscreveu no curso. Tudo bem organizado, com dia e hora marcados.

Fui apresentada ao primeiro instrutor, que me interpelou.

— Patrícia, conhece alguma coisa sobre volitação?

— Conheço.

— Ótimo.

Pegou em minhas mãos e deu um impulso, e saí tranquila a volitar.

— Oh! Você deve passar para a turma três.

O curso tem cinco fases, cada uma com um instrutor. Como já tinha aprendido o básico, fui para a terceira fase. Recebi uma apostila para estudar sobre volitação. É bem organizado. Aprendi rápido, em poucas lições concluí o curso e estava apta a volitar. A volitação pode ser feita de vários modos: devagar, rápido, rapidíssimo, na vertical e na horizontal. Devagar é como andar, só que acima do chão. Na Colônia volita-se pouco, é mais comum andar pelas ruas, avenidas e praças. Normalmente, volitamos devagar. Rápido, quando há mais pressa, e rapidíssimo, o último que aprendemos, volitamos como se nos desmaterializássemos para materializar-nos em outro lugar. Volita-se desse modo a longas distâncias. Vai-se, por exemplo, de um ponto a outro da Terra em segundos. Na vertical, é usada para a locomoção rápida. Na horizontal, quando se quer apreciar a paisagem.

As crianças e jovens aprendem a volitar nos pátios do Educandário.

O corpo perispiritual é mais denso, quanto mais a personalidade se confunde com o corpo físico. Desligando-se da aparência física, vai-se aonde quer, pois se cosmifica.

Volitar é privilégio de desencarnados.[11] Ah, que grande e maravilhoso privilégio!

---

11. Certamente que encarnados volitam quando estão com o corpo físico dormindo e em desdobramento. Mas a sensação agradabilíssima é só para os desencarnados que sabem (N.A.E.).

10
Aprendendo a nutrir-se

Vovó voltou a trabalhar como fazia antes e, nas horas livres, passeava comigo. Ela gosta muito do seu trabalho. Passeava muito e fui várias vezes à Praça Redonda. Conversava muito e fiz várias amizades. Foi lá que conheci Ana. Ela também estava a passear. Começamos a conversar e percebemos que tínhamos muitas afinidades e uma sincera amizade nos uniu.

– De que desencarnou? Ou como desencarnou?

Essa pergunta se faz muito por aqui. Começa-se a conversar e logo surge o assunto desencarnação, para saber como foi que o corpo carnal morreu. Maurício elucidou-me que essas perguntas são mais dos novatos, que ainda estão preocupados com a sua desencarnação e querem saber como foi a do outro.

Contei minha desencarnação e Ana descreveu a dela.

— Já faz muito tempo, tenho decênios de desencarnada. Meu corpo definhou pela tuberculose.

Desencarnou jovem, aos dezessete anos. É inteligente, muito instruída e ama aprender. Passamos horas a conversar. Convidou-me para ir visitá-la no trabalho e no lar. Ana mora no Educandário.

Fomos visitá-la, Frederico e eu. Frederico, sempre que possível, acompanhava-me aos passeios pela Colônia, sempre esclarecendo-me sobre os lugares e suas funções.

— Patrícia — disse meu amigo —, para trabalhar no Educandário necessita-se de muito aprendizado e dedicação. Normalmente esses instrutores têm muito tempo de desencarnado e conhecem bem a alma humana. Para ser útil com sabedoria, é preciso conhecer.

Ana veio nos receber feliz como sempre. Tem seu cantinho, seu quarto, ou mesmo seu espaço, como alguns jovens costumam dizer, ao referir-se onde moram, ou sua moradia, como ela diz, na área residencial, reservada aos trabalhadores do Educandário. É bem bonita a moradia desses trabalhadores. Lá podem morar em casas, ou em alojamentos. Refiro-me ao Educandário desta Colônia, porque depois vi, em outras Colônias, outras formas de residências. Nas casas, parecidas com a de vovó, moram instrutores e alunos, não ultrapassando dez pessoas. Os alojamentos são muitos e comuns nas escolas. São galpões compridos, com várias portas, que levam aos quartos ou cômodos. É uma beleza! Ana mora no alojamento. Seu lar é uma sala decorada com muito gosto. Não tem cama, Ana não necessita mais dormir. É um recanto seu para receber os amigos, ler ou ficar a sós. É onde tem alguns pertences: quadros lindos, vasos de flores, uma foto de família e um piano. A cor azul-clarinho predomina em sua decoração, que é de muito bom gosto. Conversamos animados e Ana presenteou-nos com lindas canções que executou ao piano.

Depois nos levou para conhecer seu trabalho. Cuida de sete crianças com idade entre três e quatro anos, que, nessa hora, estavam no parque. Quando elas a viram, correram para abraçá-la, pois querem muito bem a ela, e Ana as ama.

Ana deve ter sido feia quando encarnada. Melhor dizendo, não teve um físico bonito. Mas no Plano Espiritual o que importa é a beleza interior. Seu sorriso é doce, seu olhar é meigo. Para seus pequenos, não existe beleza maior. Para mim, ela é maravilhosa.

Frederico, depois, explicou-me que somos o que aspiramos ser. Aparência externa bonita pode também ser plasmada por espíritos ligados à beleza física.

Como é bom fazer amigos, ter amigos.

No Educandário, ouve-se muita música, é um local bem alegre. A todos os visitantes é recomendado alegria. Há muitos animais com os quais as crianças brincam, são bichinhos dóceis, como pássaros, gatos, cães, esquilos etc. E ainda muitas flores e parques com brinquedos de várias espécies para elas. Para os jovens, há campos de jogos. Ana nos serviu de cicerone, mostrando todo o Educandário, principalmente a ala dos pequenos. É uma beleza! Bem planejado, visando ao bem-estar dos pequenos e jovens desencarnados, oferecendo-lhes alegria e aprendizagem. Não vi tristeza, crianças normalmente se adaptam fácil por aqui. Foi um belo passeio. Encantei-me com o trabalho e a dedicação de Ana que, tirando poucas horas para o lazer, trabalha o tempo todo a cuidar de cada criança como um filho, um irmão querido.

– Ana – indaguei –, os pequenos não sentem falta de seus lares, de seus familiares?

– Certamente que sim e, dependendo da idade, uns sentem mais que outros. Os pequeninos nem estranham, os que entendem sentem sim. Por isso, Patrícia, a recomendação aqui é alegria. Todos nós que servimos aqui, fazemos o impossível para ajudar nossos abrigados. Quando a família encarnada compreende, aceita a desencarnação, tudo fica mais fácil. Mas se desespera-se, chamando-os e, por sentir-lhes a falta, choram, então eles necessitam de mais carinho de nossa parte.

— Eles não querem aqui o que gostavam quando encarnados? Exemplo: balas e sorvetes?

— Claro, não mudam de gosto só porque desencarnaram. O Educandário é agradável, mas a ordem impera. Todos na Colônia são convidados a educar-se. A disciplina com amor educa. Procuramos atendê-los dentro do limite justo. Muitos querem um brinquedo preferido, e isso é fácil, os instrutores plasmam e eles têm seu brinquedo. Balas e sorvetes são distribuídos, mas na medida certa, assim aprendem que devemos nos nutrir de alimentos sadios, tudo equilibrado.

— E os jovens também? Muitos gostavam de refrigerantes, podem tê-los?

— Patrícia, você tem vontade? Aqui, quis tomar um refrigerante?

— Não.

— Assim é com a maioria deles. Vontade está no desejo. E devemos educar nossa vontade. Se algum jovem quiser, pode ter seu refrigerante, mas nunca bebidas alcoólicas. Procuramos, principalmente aos novatos, fazer tudo o que é possível para que eles se sintam bem. Mas o Educandário tem normas a serem cumpridas, para o bem-estar de todos. A maioria se encanta com a maravilha que ele é, satisfazendo-se com o que oferece.

— As crianças e os jovens aprendem a se nutrir pela atmosfera?

— As crianças, normalmente, estão temporariamente aqui e aprendem conforme são capazes. São muitos entre nós que só se alimentam desse modo. Os jovens gostam mais desse aprendizado. Dando uma pausa, Ana continuou sua preciosa lição. — A alimentação de um adulto é mais um exercício de prazer do que de nutrição. Todos os nossos vícios são necessidades moderadas do corpo que nós potencializamos para ter sensações e prazeres. A criança procura o alimento só quando necessita. Ainda não deturpou suas necessidades e, como no astral não há perda de energia, não há busca de alimentos.

Foi um lindo passeio e uma grande lição aprendida em minha visita ao Educandário.

Continuava a ver meus familiares pela televisão. É tão agradável! Queria, desejava que estivessem bem. Não recebi deles nenhum pensamento de revolta, só incentivos. Se, às vezes, sentia leve tristeza, repelia este sentimento, não queria desanimar. Nesses raros momentos, aproximava-me de minhas violetas, que estavam sempre lindas e floridas. Sentia-me refeita, era como se o amor de minha mãe me sustentasse, juntamente com a força do carinho de meu pai.

Continuava a receber visitas, mas gostava de conversar com jovens ou os que, como eu, desencarnaram jovens, era mais prazeroso. Talvez porque as conversas normalmente fossem mais afins. Fiz várias amizades entre os jovens, visitamos lugares juntos e reunimo-nos para ouvir música.

Notei que Maurício não tomava nem água. Indaguei-o:

— Maurício, como se alimenta?

— Tiro as energias de que necessito do sol, do ar e da natureza.

— Será que um dia serei como você?

— Se quiser, esforce-se e será. Eu, nem em excursões, nem em trabalhos entre os necessitados, preciso alimentar-me ou tomar água. Observe, Patrícia, que os moradores da Colônia não são iguais. Há os necessitados, os que querem ser servidos, os que, mesmo recuperados, fazem trabalhos por obrigação. Há os que servem, de boa vontade, mas se acomodam, sentem-se bem como estão e, para muitos, aqui já é o paraíso sonhado. E há os que aproveitam as oportunidades para aprender, servindo com precisão. Você tem seu livre-arbítrio para estacionar, ficar como está, ou progredir, ser como muitos, autossuficientes, que não necessitam dormir, alimentar-se, têm plena consciência de sua existência espiritual. Não importa se estamos encarnados ou desencarnados, temos de crescer, progredir, pôr em prática o que se aprende. Necessitamos ser e agora, no presente. Muitos, na Terra, dizem não acreditar na reencarnação, por Jesus não ter dito sobre isso mais claramente e mais vezes. O que nosso Mestre Maior nos ensinou é que devemos ser melhores, tornarmo-nos bons, no presente. Como pode a reencarnação ser de importância para um espírito, se está sempre deixando para o futuro o que tem de ser feito no presente?

– Vou ser como você!

Logo após ter aprendido a volitar, comecei a aprender a nutrir-me pela absorção dos princípios vitais da atmosfera.

Matriculei-me no curso e comecei indo todos os dias com hora marcada, por uma hora.

Nesse curso, os instrutores procuram conscientizar seus alunos que realmente estão vivendo num corpo sutil e que são desencarnados. Começa-se aprendendo exercícios de respiração, alguns parecidos com os da ioga. Digo parecidos porque aqui ninguém se refere a essa ciência de respirar. Faço esta nota porque conheci, encarnada, alguns desses exercícios. Aprende-se pela prática, depois se faz automaticamente, só pela força de vontade. O instrutor disse que começaríamos aprendendo com os exercícios, mas seria necessária a compreensão da nossa afinidade cósmica: o Pai a todos sustenta. Podemos absorver energia do ar, do sol, ou simplesmente do cosmo.

Conforme aprendemos, vamos passando para a turma mais adiantada, até concluir o curso, quando nos conscientizamos que, para quem quer aprender, tudo fica mais fácil.

O pátio é muito agradável, ao ar livre e cercado de plantas. Trocam-se muitas ideias e experiências nesse curso. Os instrutores são espíritos com conhecimento e experientes, sempre prontos a ajudar. Há muitos horários de aula por dia, mas o pátio está sempre aberto a todos os que queiram ir lá fazer exercícios. É bem frequentado, muitos gostam de exercitar-se e outros de ir para renovar o aprendizado.

O curso me fez muito bem, aos poucos fui passando a viver como todos os desencarnados devem viver, mas aos poucos. Demorei algum tempo para concluí-lo.

Já não me preocupava com minha aparência. Meus cabelos ficavam como eu queria. Já não trocava de roupa como no começo e ia perdendo a vontade de tomar banho, de escovar os dentes e até de alimentar-me. Mas alimentava-me ainda uma vez por dia. Nutria-me de frutas, caldos de ervas, doces, pães, tudo baseado em vegetais, pois não se matam animais para alimentação. Gostava muito de tomar água, que aqui é diferente, cristalina, fluidificante e energética. Normalmente, os habitantes das Colônias tomam sempre água.

Na casa de vovó, ela e suas amigas alimentam-se muito pouco, só após trabalhos em que despendem muita energia, quando voltam da Crosta, do Umbral ou das enfermarias onde estão os muito necessitados. Alimentando-se pouco, usavam pouco o banheiro e se banhavam raramente, talvez mais para ter o prazer da água caindo sobre si.

Nesse período em que aprendia os exercícios da ciência de respirar, em que começava a me alimentar pela absorção dos princípios vitais da atmosfera, aprendia também a dominar minha vontade e a usá-la para meu bem-estar.

Não sentia nenhuma dor, nenhum mal-estar e não tive mais resfriado. Maurício me explicara que deveria aprender a observar meu próprio interior, porque ao agir egoisticamente causamos em nós muitos mal-estares.

Dormia cada vez menos, pois não sentia necessidade, como antes, de dormir ou de me alimentar. Gostei muito porque com esse tipo de alimentação que começava a me nutrir, quase não precisava ir ao banheiro. Depois, não me alimentando mais, o banheiro seria um cômodo dispensável.

Nem todos aprendem a volitar e a nutrir-se em cursos, há outros modos de aprender, como lendo, pesquisando nos vídeos, ou com alguém que saiba ensinar. Mas, frequentando esses cursos, é bem mais fácil, pois aprende-se com exatidão e em menos tempo.

É bem agradável conscientizar-se e viver como desencarnado.

11
Relato das três amigas

Nas horas de lazer, é costume visitar amigos e parentes por aqui. Gostamos de nos reunir e conversar. O assunto preferido entre familiares são os parentes. Falamos a respeito dos entes queridos desencarnados que não estão bem e sobre os parentes encarnados. Trocam-se ideias e planeja-se ajuda. Na casa de vovó, recebem-se muitas visitas e, como estava sempre por ali, quando me convidavam, ficava junto. Escutava as conversas, participava e, com isso, aprendia muito.

D. Amélia, uma das senhoras que moram conosco, recebeu a visita de sua neta Marina e da amiga dela, Isa, que residiam em outra Colônia. Conversamos animadas. Como quase sempre acontece, a conversa foi sobre a desencarnação. D. Amélia foi a primeira a falar da sua:

– A morte do meu corpo foi muito dolorida. O câncer foi destruindo o meu corpo. Revoltei-me com tudo e todos, tornei-me uma doente amarga. Muito debilitado, meu corpo morreu, nada vi ou senti, só percebi tempos depois. Continuei a sofrer após o desencarne. Vaguei com dores pelo meu antigo lar. Sofri muito. Depois de muitos anos, fui socorrida. Entendi que foi merecido tudo o que passei. Tendo saúde quando encarnada, não dei valor, tomava sempre bebidas alcoólicas, fumava, envenenei meu corpo com egoísmo, inveja e ciúme. Se não fiz mal a ninguém, fiz pouco bem, e o que fiz foram as poucas esmolas, resto do meu supérfluo que distribuí. Nunca pensei em ajudar realmente alguém. Vivi encarnada cultivando a matéria, como uma tola imprudente, ignorando a parte verdadeira, a espiritual. A dor, a doença, tudo isso foi uma forma que havia escolhido, antes de reencarnar, para alertar-me, mas fiquei revoltada e não sofri com resignação. Quem não sofre com aceitação, pouco lhe adianta. Depois, em vez de reconhecer meus erros, revoltei-me, achando injusto, por não ter feito, em meu ponto de vista, nada de ruim, pois não matara, não roubara, não traíra etc. Esqueci-me de que pude fazer o bem e não fiz. Nem aprender quis. Para que saber? Dizia sempre: "Depois de morta, aprendo. E isso, se houver continuação da vida". Teve, continuei a existir depois do meu corpo ter morrido. E permaneci sofrendo pelos mesmos motivos, até que, cansada, comecei a ver realmente meus vícios. Mais humilde, clamei, pedi ajuda. Amigos e parentes levaram-me para o hospital de um Posto de Socorro, onde sarei e vim para a Colônia. Agora, tendo a oportunidade, sou agradecida, tento educar-me no trabalho útil e no estudo da boa moral.

– Eu – falou Marina – desencarnei jovem, aos vinte e um anos. E, como vovó, ignorava completamente a continuação da vida, não tinha ideia do que acontecia com quem morria: se tudo acabava, ou se havia Inferno e Céu. Teorias que não entendia nem queria entender. Não seguia religião nenhuma, mas dizia ter uma, só por rótulo. Para mim, a morte do corpo era para os outros. Desencarnei por um acidente de carro. Quando socorristas, trabalhadores do bem, tentaram ajudar-me, repeli-os. Para mim, eram loucos dizendo tolices, inclusive que meu corpo morrera. Foi um período difícil. Na minha casa, foi um caos. Meus pais intensificaram as brigas e acabaram por se separar. Um acusava o outro pelo meu desencarne. Sofri muito, julguei estar louca por não conseguir entender o que se passava e por não aceitar minha desencarnação. Com meu lar desfeito, vaguei pelas ruas com muito medo. Cansada de sofrer, resolvi apelar para Deus. Entrei num templo e orei, senti-me melhor e resolvi ficar ali. Entendi que religião faz falta, pois quando se é religioso sente-se proteção e, quando se é realmente sincero e devoto na religião, os sofrimentos são mais bem compreendidos e a morte não aterroriza tanto. Entendi que desencarnara, mas não sabia o que fazer para melhorar a situação. Fiquei naquele templo a orar junto com outros desencarnados e com encarnados que lá iam. A prece levou-me a meditar, a arrepender-me dos meus erros. Fiz muitos atos errados, fui egoísta e materialista. Nos vinte e um anos que passei encarnada, tinha muito do que me arrepender. Não saí mais do templo, temia os irmãos trevosos, tinha medo de que estes me prendessem. Eles não entravam no templo, mas via-os fora. Fiquei anos no templo e, quando me cansei, resolvi ser sincera comigo mesma e pedir socorro. Chorando, pedi ajuda a Deus e trabalhadores do bem auxiliaram-me. Levei tempo para me recuperar num hospital de um Posto de Socorro. Hoje estou bem, sou grata, aprendo a viver aqui, anseio por melhorar moralmente e pôr em prática o que aprendo.

  Marina suspirou, mas não estava triste, as lembranças de tudo o que passou lhe davam forças para melhorar cada vez mais. Após uma pausa, foi a vez de Isa falar.

  — Desencarnei por um tumor maligno no cérebro, depois de alguns meses doente. Estava com dezesseis anos. Seguia uma religião que equivocadamente me ensinou que, com a morte, adormecia-se para acordar no julgamento de toda a humanidade, no fim dos tempos. Senti um torpor com a morte do corpo, uma espécie de sono, achava que dormia, mas ao mesmo tempo via e ouvia, embora sem muita clareza, tudo o que se passava ao meu redor. Fiquei junto dos familiares, quando velavam meu corpo. O desespero deles foi grande, gritavam, choravam, sofriam horrivelmente. Sentia-me muito perturbada, mas também amparada, escutava alguém me convidando para ir, partir. Meus familiares seguravam-me, e não me esforcei para ir, pois não queria deixá-los sofrendo tanto. Após meu corpo ter sido enterrado e meus familiares terem ido embora, orei com fé: "Meu Deus, ajudai-me!" Então, socorristas me levaram para um Posto de Socorro, onde recebi auxílio. Tinha medo, pavor de dormir e não acordar, mas bondosamente os trabalhadores do Posto de Socorro tentavam explicar e me curar, porque a doença, o reflexo dela, ainda era forte em mim. Não me apavorei ao saber que meu corpo morrera, decepcionei-me por não ser como pensava, como acreditava. Entendi as explicações que gentilmente os benfeitores me transmitiam e, raciocinando, achei-as justas e lógicas. Não temi mais e passei a dormir com tranquilidade. Mas os lamentos e o desespero dos meus enlouqueciam-me. Julgavam-me tão coitada por ter morrido que comecei a ter dó de mim e, como a autopiedade não leva a nada, só maltrata, desesperei-me. Eles começavam a chorar, eu também me desesperava e chorava. Quando me chamavam, queria ir para perto deles e acabei indo. Que agonia! Choravam, lamentavam, era como se eu tivesse acabado. Sem entender, pois novamente fiquei confusa, sofri muito. Diziam que eu estava dormindo e que nada via ou sentia, e eu gritava que não e novamente me apavorei, temendo adormecer. Detestei ficar no meu ex-lar e quis voltar ao Posto de Socorro, mas não sabia como. Lembrei de Jovina, uma caridosa enfermeira que cuidou de mim, e chamei por ela. Carinhosamente, veio em minha ajuda e senti alívio ao vê-la. "Jovina, socorra-me!" – implorei em lágrimas. "Tire-me daqui, me leve para um lugar onde não possa voltar mais". Ela trouxe-me para a Colônia, onde fui internada no hospital do Educandário, na ala para jovens. Tive de receber tratamento especial para superar e entender o desespero dos meus pais, para não dar importância a seus chamados e não sentir tanto. Os orientadores do Educandário, para que pudesse me recuperar mais rápido, tentavam ajudar meus pais. E, como o sofrimento leva muitas pessoas a procurar ajuda, meus familiares aceitaram conversar com uma vizinha espírita que bondosamente lhes explicou que deveriam conformar-se com a vontade de Deus e que eu, sendo boa, estaria em bom lugar e, por isso, não deveriam chamar-me. Foram ótimos conselhos, que entenderam de modo confuso. Mas, para meu alívio, melhoraram, não chamaram mais por mim e não se desesperaram, sofrendo menos. Pude então me sentir mais aliviada e me esforçar para sarar, porque quando eles pensavam em mim como doente, com dores, transmitiam-me isso, dificultando o meu desligamento dos reflexos da doença. Sarei e, sentindo-me bem, comecei a interessar-me em conhecer o Educandário, a Colônia, a fazer amizade. Aí, apareceu outro problema. Julgavam-me santa, anjo, e encheram-me de pedidos. Pediram-me de tudo, para ir bem na prova da escola, para ter saúde, para não chover, ou para chover, sarar da dor de cabeça, achar objetos perdidos etc. O pior é que incentivaram todos os familiares, amigos e vizinhos a fazê-lo. Sentia esses pedidos e agoniava, queria ajudá-los, mas como o fazer? Instrutores do Educandário tentaram outra vez ajudá-los, para que eu melhorasse. Novamente a vizinha espírita foi a porta-voz, conversando com eles, orientando-os para que não pedissem nada a mim, mas que o fizessem a Deus, a Jesus, aos anjos. Que eu, sendo boa, deveria estar em bom lugar, mas que talvez não me fosse possível ajudá-los e que não me sentiria bem por isso. Ficaram sentidos com a bondosa vizinha. Generosos instrutores do Educandário tentaram novamente os esclarecer, desligando-os do corpo enquanto dormiam e conversando com eles. Foram aos poucos mudando, mas, ainda hoje, recebo pedidos. Amo meus familiares, desejo-lhes bem, oro por eles, mas não gosto nem de ir visitá-los, pois sofri muito com a falta de compreensão deles. A morte é tão natural, não sei por que fazer dela uma tragédia. Demorei muito tempo internada no hospital, tendo depois que fazer um acompanhamento com orientadores, até me sentir segura. Amo a vida de desencarnada, sinto-me muito bem no Educandário. Mas não foi fácil!

A conversa continuou agradável por mais tempo, depois nossas visitantes despediram-se e foram embora.

Fiquei a pensar...

12
Elucidações

Maurício me surpreendeu pensativa, sentada na varanda.

— Em que a menina Patrícia pensa tanto?

Contei-lhe as narrativas que ouvi das três amigas e terminei por interpelá-lo:

— Maurício, por que não fui para o Educandário?

— É bom que pense e medite, pois assim aprende. Você é muito adulta em seus dezenove anos. É mais responsável que muitos idosos por aqui, assim achamos melhor você vir para cá. Como você tem muitos conhecimentos, o Educandário lhe pareceria uma escolinha para infantes.

— Sofre-se sempre ao desencarnar, sem ter conhecimentos do plano espiritual?

— Nem todos sofrem por não ter conhecimentos espíritas ou do plano espiritual. Quem é bom, é atraído para bons lugares. Conhecimentos só facilitam a adaptação. Mas a falta deles, da crença da verdadeira continuação da vida após a morte do corpo, acarreta muita perturbação e até sofrimento ao desencarnado, e até mesmo para os encarnados que perderam o ente querido.

— Que me diz do sofrimento dessas três amigas?

— O egoísmo é um peso, os que cultivam a matéria a ela ficam presos. Amélia sofreu, não por ser má, mas por deixar de fazer o bem. O bem a ela própria, como se instruir e entender a vida como um todo. Teve vícios e nem se esforçou para melhorar. A desencarnação foi um pesadelo, uma agonia. O que aconteceu a ela sucede com muitos: são os que se esquecem completamente da parte espiritual. Marina sofreu pelos mesmos motivos. Equivocam-se ao pensar que todos os jovens são socorridos somente pelo fato de serem jovens. Não estando nada preparada para enfrentar a mudança com a desencarnação, não a aceitou. Seus erros lhe pesaram na consciência. Infelizmente vemos muitos jovens delinquentes. Ser criança ou jovem na matéria são fases, sabemos que o espírito pode ser milenar. Os socorristas dedicam a máxima atenção para todas as crianças e jovens, mas infelizmente nem todos podem ser amparados. Muitos necessitam entender por meio do sofrimento, para dar valor ao amparo recebido.

Maurício suspirou dando uma pausa e continuou:

– Isa, sendo boa, poderia ter sido socorrida e sentir-se bem logo que desencarnou, mas, como acreditava que ia ficar no corpo, dormindo, quis, desejou ficar. Nossa vontade é sempre respeitada. A história de Isa é comum, o sofrimento em desespero atormenta a todos. São muitos os jovens que passam o que ela passou. Quando os encarnados têm dó e só pensam nos desencarnados como doentes e sofrendo, eles se sentem assim e têm mais dificuldades para livrar-se dos reflexos da doença, do sofrimento pelo qual desencarnaram. Devem os encarnados pensar nos desencarnados sadios, felizes e desejar-lhes alegria. Quando os encarnados não colaboram, os desencarnados necessitam de muito auxílio para superar essa fase difícil. Escutam chamá-los, como se as vozes dos familiares saíssem de dentro deles, e querem atendê-los, querem ir para perto deles. Se choram lá, eles choram aqui. Muitas vezes, ficam internados somente por esse motivo. Às vezes, aceitam bem a desencarnação, está tudo bem com eles, mas entram em crise sempre que, em desespero, os encarnados chamam por eles. Depois ficam a lhes pedir favores. Não se deve pedir graças, favores aos familiares desencarnados, não se sabe se eles podem ou não os atender. No caso de Isa, ela, não podendo, sentia-se infeliz e, mesmo se pudesse, não devemos pedir que façam a lição que nos cabe nem que venham tomar nosso lugar nos bancos de provas. Isa nem podia ajudar a si mesma, e mesmo que já estivesse apta a ajudar, possuísse conhecimentos, não conseguiria atender a todos os pedidos. Não é bom fazermos o que compete aos outros. A intervenção dos instrutores do Educandário, no caso de Isa, foi muito justa. Para ajudá-la tentaram chamar seus familiares à realidade. Os orientadores do plano espiritual fazem muito esse tipo de ajuda, em favor de seus pupilos. Observe, Patrícia, que Isa, mesmo boa, sofreu pela falta de compreensão, de entendimento da desencarnação, algo tão comum para todos.

— Comigo foi tão diferente!

— Você não é privilegiada, aqui está por afinidade, porque é pura de coração, e não por ter sido espírita.[12] Se não fosse boa, sem erros, não teria sido recebida com todo carinho no plano espiritual. Se você, Patrícia, não tivesse sido o que foi, poderia ter sido até uma dirigente de Centro Espírita, que não viria como veio. Está aqui porque você fez por merecer. Não sentia o mesmo que Isa,

---

12. Os espíritas, normalmente, estão entre aqueles aos quais muito foi dado e a quem muito será pedido. Os que deram valor ao que receberam, terão em abundância (N.A.E.).

porque o ambiente de seus familiares é de compreensão. Todos buscam, no seu lar, o aperfeiçoamento que lhes dá condições de não se perturbarem e, assim, ajudam você. Veja sua mãe: em vez de chamá-la para junto de si, oferta-lhe flores. Não as colhe, ou as leva ao cemitério, mas pensa e as manda. Seu pai, quando você desencarnou, aceitando a realidade, compreendeu o que Jesus disse: "Até quando vos hei de sofrer". Pois, mesmo sentindo sua falta, ele não sofreu por você, mas pelos que ficaram e sofreram sua falta, sem razão. Ele deu-lhe estímulo e sustentação psicológica.

Maurício silenciou. Sim, era verdade, meu pai me sustentava. Recebia diariamente seus recados e preces: "Patrícia, alegre-se, a vida é linda, seja feliz! Estamos bem, não se preocupe conosco. Faça o que os amigos lhe têm orientado". Sempre obedeci meus pais. Achava e acho meu pai o "máximo", prudente e sábio e, agora, seguia suas orientações.

– Maurício, quero trabalhar.

– E o fará. Logo que iniciar o curso de conhecimento do plano espiritual, você irá fazê-lo. Esse curso é realizado de dois modos, em período maior para os que não têm conhecimentos do plano espiritual e em período menor para os que os têm. Você fará o de período mais curto. Irá gostar muito. Mas, enquanto espera, deseja fazer algo? Bem, vamos ver. Que quer fazer? Quando desencarnou, fazia dois cursos na faculdade: Ciências e Matemática, como também lecionava para infantes. Quer lecionar, dar aulas?

— Lecionar aqui!?

— Você acha que só pelo simples fato de desencarnar se sabe de tudo? Quem era analfabeto quando encarnado, desencarna e continua sendo.

— Se em outras encarnações passadas sabia, não se recorda quando desencarna?

— Nem sempre. Se em outras encarnações teve conhecimentos e na última foi analfabeto, poderá recordar. Mas essa lembrança poderá ser acompanhada de outras que talvez não lhe sejam convenientes no momento. Depois, para ter essas recordações, o espírito precisa estar apto, preparado para isso. E quem está apto recorda quase sempre sozinho. Os desencarnados só lembram o passado para o entendimento, aprendizado, ou para realizar uma tarefa. Os que precisam vão a departamentos próprios, e lá os trabalhadores do local analisam e, se for realmente benéfico, ajudam-nos a recordar. Aqui, na Colônia, os irmãos analfabetos têm oportunidades, facilidades para aprender. Há uma ala, na Escola, para aprendizado dos que desencarnam adultos, sem saber ler e escrever. Você poderá ensiná-los, alfabetizando-os, enquanto espera o início do curso. Ensinará só os adultos, porque professores de crianças e jovens fazem parte do Educandário e necessitam de muitos conhecimentos. Porque para eles os professores representam exemplos, são os que resolvem todos os seus problemas. Para os adultos, o curso é dividido em matérias e você os ensinará muito bem a ler e escrever. Quer?

– Sim. Quero.

Maurício despediu-se e fiquei a pensar, recordei o que papai sempre nos dizia sobre o saber: "O saber, que a maioria dos homens e espíritos tem como um fim, deveria ser como um meio, para que possa evoluir até a sua cosmificação. Nós, para vivermos na matéria, não precisamos ler, mas isso facilita muito. Assim também o conhecimento não realiza o homem espiritualmente, mas lhe dá condições de compreender e encontrar a bem-aventurança".

Sim, queria estudar, aprender para ser útil com sabedoria, e fiquei muito feliz em poder repartir desde já os poucos conhecimentos que possuía com outros irmãos.

Aguardei ansiosa a nova visita de Maurício, que me levaria à escola para adultos.

13
A escola

Dois dias depois, Maurício veio para levar-me à escola.

Ela está situada numa área enorme. Quando encarnada, ouvi, no Espiritismo, falar das Escolas no plano espiritual, referindo-se muito ao aprendizado que se faz quando desencarnado. Mas pouco sabia o que vinha a ser essa aprendizagem.

Quem gosta de aprender, interessa-se sempre por essas escolas. Há escolas por todas as Colônias, são sempre grandes e acolhedoras. A que descrevo, a da Colônia São Sebastião, é linda. Situa-se numa área com vários prédios, dividida em alas, designadas por letras. Seu objetivo é bem claro e deveria ser o mesmo sempre, em todos os planos: instruir. Na escola há cursos de conhecimentos, mas o principal ensino é sobre o *Evangelho*, a Moral Cristã. Há muitos cursos para ensinar a viver desencarnado, como os que fiz de Volitação e Alimentação. Eles têm tempo certo de duração. São poucos os orientadores e professores que moram na escola. Na Colônia São Sebastião, as moradias na escola são só alojamentos. Muitos alunos moram lá durante o curso.

Entre um prédio e outro, há pátios e jardins. A escola toda é cercada com muitas árvores, flores e recantos agradáveis com bancos, onde alunos reveem a matéria, estudam, trocam ideias e conversam animados.

Maurício e eu rumamos para a Ala D. Enquanto andávamos, foi me esclarecendo:

— Aqui estão todas as salas de aula da Colônia. O estudo aqui abrange até certo grau. Aqueles que após o cursar quiserem continuar, podem ir a outras Colônias maiores ou às Colônias de Estudo.

— São muitos os que querem estudar?

— Infelizmente não. Aqui tudo é facilitado, não se pode dar as desculpas que encarnados dão para não estudar. Mesmo assim, estuda somente uma parte dos moradores. A continuação dos estudos abrange somente uma pequena porcentagem. Estuda-se para ter conhecimentos.

— E como são essas escolas nas Colônias de Estudo?

— Chamamo-las assim, embora cada uma delas tenha um nome. É um tipo de escola que para os encarnados seria uma universidade, abrangendo conhecimentos maiores em várias ciências. Essas Colônias são só escolas, ou melhor, há nelas somente locais de estudos, de pesquisas, além das moradias de professores e alunos.

— Maurício, se um aluno indagar algo que não sei, que faço?

— Diga simplesmente que não sabe, que vai pesquisar para responder. Você dará somente aulas de Português e Matemática. Eles perguntam mais nas aulas de Iniciação Evangélica e Moral Cristã, que são dadas por professores experientes, que resolvem ou dão orientações a todos os problemas dos alunos. Agora vou apresentá-la a d. Dirce, a coordenadora da Ala D.

A Ala D dá para um pátio. Tudo é simples como toda a escola, pintada de cor clara e muito limpa. Maurício bateu numa porta em que estava escrito: Orientadora. Dona Dirce nos recebeu alegremente.

— Oi, Patrícia, que bom tê-la conosco. Maurício, se quiser pode ir. Até logo! Você, Patrícia, ficará comigo e lhe mostrarei o método que usamos para alfabetizar.

Entramos na sala da orientadora, que é mobiliada com muito bom gosto, mas com simplicidade. Entusiasmada, ela mostrou-me o método que usam. Encantei-me com o modo prático de ensinar. Os planos de aula já estão prontos, e muito bem elaborados. Observei d. Dirce a falar da escola e dos alunos com entusiasmo e alegria. Percebeu o que eu pensava, mas não me surpreendi, pois aqui a maioria sabe ler pensamentos. Disse-me delicadamente:

— Patrícia, amo ensinar, o que faço e esta escola! Venha, mostrarei esta ala a você.

Todas as classes davam para o pátio. As salas eram pequenas, no máximo para quinze pessoas em cada uma, facilitando assim o aprendizado. Salas pequenas estão nesta ala, mas existem salas de aula de diversos tamanhos na escola. Dona Dirce bateu em uma das classes e disse:

— Esta é a sala em que vai trabalhar.

A porta se abriu e o professor nos recebeu sorrindo. Dona Dirce nos apresentou, e também aos alunos.

— Esta é Patrícia, que irá substituir o professor Clóvis, ele se licenciará.

Gostei deles e senti que eles simpatizaram comigo. Após conhecer todos, saímos. Dona Dirce continuou esclarecendo-me:

— Você irá substituir Clóvis que, por motivos familiares, pediu licença.

Estranhei este "pediu licença" e d. Dirce explicou:

— Patrícia, aqui tentamos aprender a servir por amor. Todo trabalho é um aprendizado e não sacrifício. Certamente ao adquirir responsabilidade não deixamos nossos afazeres sem pedir aos nossos superiores. E, quando o fazemos, sempre é por motivo justo. Clóvis, a quem irá substituir, está conosco há três anos. Seu filho desencarnou e vaga em sofrimento, por isso pediu licença para ver se consegue ajudá-lo e, também, os familiares encarnados. Solicitação assim é comum aqui, e sua avó, para ficar com você, pediu licença por um período, em seu trabalho.

— Tudo bem organizado! — não pude deixar de exclamar.

Voltei para casa com meus planos, começaria a lecionar no dia seguinte. Em casa li tudo e planejei o melhor modo de dar aula.

Contente, no dia seguinte lá estava bem antes do horário marcado. Conheci os outros professores da Ala D, muito simpáticos, todos foram gentis comigo. Lenita, uma das professoras, ofereceu-se para ajudar-me e orientar no que precisasse. Gostei dela e nos tornamos amigas.

Minha classe tinha doze alunos, senhores e senhoras, pessoas simples, quietas e tímidas. Ali não usávamos o termo senhor e senhora nem eles me chamavam de dona, tratavam-me por "você". Só usávamos esse tratamento respeitoso com d. Dirce. Iniciei a aula. Normalmente tinha de repetir as explicações e corrigir caderno por caderno. Eles não desanimavam, queriam aprender. Eu, com paciência, ensinava prazerosamente. Acostumamo-nos logo uns com os outros.

Lenita morava perto da casa de vovó, mas somente voltávamos da escola juntas, porque ela lecionava dois períodos e, assim, íamos em horários diferentes. Conversávamos muito, desencarnou jovem como eu, com vinte anos. É inteligente, poetisa, temos os mesmos objetivos e interesses.

Lenita é clara, usa uma longa trança nos cabelos e a joga do lado, até a cintura, é muito bonita. Falando em beleza, os moradores da Colônia são, na maioria, bonitos. Acho que isso acontece por dois motivos: primeiro, a gente passa a vê-los como irmãos queridos; e, segundo, porque os moradores são pacíficos, estão se equilibrando, tentando harmonizar-se. As pessoas assim, lindas interiormente, são agradáveis, portanto, bonitas.

— Patrícia, fiz o curso que você vai fazer, é maravilhoso, vai gostar.

Está sempre incentivando e elogiando a todos, mas não gosta de falar de si. Insisti para que contasse sua história.

— Desencarnei há muitos anos, fui assassinada. Foi bem triste e cruel. Sofri muito. Estava noiva, amava e era amada. Ao voltar do trabalho, à tardinha, sozinha, um homem rendeu-me, amarrou-me, tapou minha boca e levou-me para um local isolado. Estuprou-me e feriu-me com uma faca, largando-me num buraco. Desencarnei com muita dor e agonia. Socorristas desligaram-me e levaram-me para um Posto de Socorro. Julguei que ainda estava viva, encarnada, não acreditei, não queria nem pensar que desencarnara; iludi-me de tal modo que até esqueci o que acontecera, só queria sarar e voltar para perto dos meus. Como não me levaram, fugi, fui para a casa terrena. Decepcionei-me muito e fiquei magoada. Nada era como antes, meu noivo nem sentiu minha falta, como eu pensava, e já namorava outra. Comecei a enlouquecer. Meus ferimentos voltaram; triste, fiquei a vagar. Só então entendi que desencarnara, pedi a Deus ajuda com sinceridade. Novamente fui socorrida. Dessa vez, sem ilusão, magoada e triste, tive que fazer um longo tratamento para recuperar-me. Estava revoltada com a maldade, a lembrança do acontecimento bárbaro fazia-me entrar em crise de desespero. Foi necessário recordar parte do meu passado, de uma outra existência, onde vi a ação que pratiquei para ter aquela reação. Fui, no passado distante, um mercador de escravas jovens e bonitas, negociava-as para homens de maus instintos. Curada, adaptada, vim para esta Colônia estudar e trabalhar. Hoje sou feliz. Minha triste história não me incomoda mais.

— Ficou sabendo quem foi seu assassino?

— Sim, fiquei. E, mesmo quando revoltada, não quis me vingar. Fiquei magoada mais pela maldade, do que com ele. Perdoei logo. Esse irmão que me tirou a vida física sofreu muito. Não foi preso, mas a reação de seus erros veio em seguida. Tanto sofreu encarnado, como sofre desencarnado.

— Não pensou em ajudá-lo?

— Sim. Não faz muito tempo, tive permissão para tentar ajudá-lo no Umbral. Fui até lá. Não aceitou nem me ouvir. Ao ver-me, gritou que era culpada por ele estar sofrendo. Que certamente fui dar queixa a Deus e Ele o colocou no inferno. Meus instrutores aconselharam-me a deixá-lo. Um dia ele entenderá, se arrependerá com sinceridade e será socorrido. Oro muito por ele.

Que bonita lição podemos tirar da história de Lenita!

O trabalho da escola me fascinava. Dediquei-me tanto, que estava conseguindo ótimos resultados. Dona Dirce estava contente comigo, e Maurício não pôde deixar de sentir orgulho quando ela elogiou-me a ele.

Depois, estava trabalhando, ganhando meus bônus-hora. Receber meu primeiro pagamento foi superagradável. Agora, não iria depender mais de vovó, nem dos amigos para frequentar o teatro e as salas dos computadores, lugares onde gosto de ir. Alegrei-me tanto ao recebê-los que fiquei orgulhosa, era como receber, encarnada, meu primeiro ordenado. A sensação de autossuficiência é agradável, de não ser peso, de ser útil, de poder colaborar, é o máximo. Não estava lecionando só por esse motivo, pois o trabalho é uma bênção. Mas fiquei toda importante com os "meus" bônus, os que ganhei trabalhando.

Tudo o que narro poderá parecer a muitos ficção. Mas o que é a morte senão uma nova etapa da vida?

14
Visita em casa

Vovó disse-me que logo poderia visitar meus familiares. Aguardei toda contente. Sentia-me muito bem e feliz. As recomendações foram muitas. Em casa, vovó e suas amigas falaram por horas.

— Patrícia, você, em sua casa, deve ficar alegre o tempo todo.

— Lembre-se de que o lar é onde existe amor, o carinho de vocês não acabou. Continua o lar terreno sendo seu, só que não é para morar mais lá.

— Mesmo que sentir vontade de ficar, não deve. Irá somente visitá-los. É aqui o seu lugar. Amamos você e a queremos aqui.

Tudo o que se espera chega. E, assim, veio o dia tão esperado de visitar meus familiares. Acompanhariam-me

Artur, Maurício, Frederico e vovó. Não pude deixar de pensar se não seriam muitas pessoas para ir comigo a uma simples visita. Maurício, como sempre, lendo meus pensamentos, esclareceu:

— Sua avó vai porque quer prazerosamente a acompanhar na visita. Eu, porque sou responsável por você. Artur e Frederico vão porque querem estar com você desfrutando dessa alegria.

— Vamos, Patrícia — disse Artur, alegre como sempre.

— Não vai me recomendar nada? — indaguei.

— Não — riu. — Não acha que já escutou demais? E, com tantos acompanhantes, não duvido que seja você a nos orientar.

Rimos, mas estava ansiosa. Caminhamos para um dos portões.

— Artur — perguntei —, todos os moradores e hóspedes podem visitar seus familiares?

— Não, são poucos os que podem usufruir deste prazer. Tudo isso por falta de preparo e entendimento, tanto dos encarnados quanto dos desencarnados. Os desencarnados que moram na Colônia são os que já trabalham, são úteis. Os que são hóspedes, são os que estão em adaptação, portanto, para visitar a Terra necessitam estar aptos, conscientes da desencarnação e dos problemas dos familiares. Têm de ter total conhecimento que estão só a visitá-los. Essas visitas também têm de ser para os encarnados já conformados, sem o perigo de eles "segurarem" o desencarnado. Não podem usufruir destas visitas se tiverem uma leve perturbação. Muitos querem, poucos podem.

A Colônia São Sebastião tem três portões. São grandes, há neles três aberturas para os aeróbus passarem. Abre-se o portão inteiro, ou uma abertura de tamanho médio e uma porta. São controlados por aparelhos que os encarnados não têm ainda conhecimento.

Esses aparelhos medem a vibração de quem passa por eles. Também, há trabalhadores que guardam os portões. As Colônias não são idênticas, não são todas iguais, porém todas têm as mesmas bases, já que seus objetivos são os mesmos: servir de moradia provisória a desencarnados. Na Colônia São Sebastião, os portais, ou portões, são muito bonitos, dourado-clarinhos com lindos desenhos em relevo, principalmente de flores.

A porta foi aberta e passamos. Vi os muros. Toda a Colônia é cercada, ou murada; essas expressões ou nomes dados, não alteram. Ela é cercada por uma energia, força magnética, e só é possível entrar e sair pelos portões. Esse muro ou parede que a cerca é do mesmo material de que é feita toda a Colônia. Sendo assim, são poucos os desencarnados que conseguem atravessar essa muralha. Também há essa energia magnética que impede de entrar desencarnados que não podem ir à Colônia, geralmente irmãos enraizados no mal e com intenções mesquinhas. É bonita a muralha. Cheguei perto, toquei-a, mas quando olhei para cima não vi seu final. Ela é constituída até certa altura, depois só fica a energia magnética, que envolve toda a Colônia. Para que se possa ver a Colônia, necessita-se vibrar igual, sendo assim, muitos espíritos ignorantes e maus não a encontram, não conseguem vê-la.

Meus quatro acompanhantes ficaram observando-me, enquanto olhava tudo curiosa.

— Artur — indaguei —, sempre tive a curiosidade de saber que aconteceria se um avião passasse por aqui...

— A Colônia fica longe do espaço onde passam aviões, está bem mais alta. Mas alguns Postos de Socorro estão localizados no espaço onde eles podem passar. Mas se o fizerem, não acontecerá nada. Colônias e Postos não são matéria bruta, mas sutil.

— E os foguetes, as naves espaciais?

— Não nos causam danos. Mas as Colônias não são imóveis e podem, pela força mental dos que as sustentam, mudar de lugar, se houver necessidade.

— Vamos — falou Frederico sorrindo.

Demos as mãos. Sabia volitar, mas seria a primeira vez que volitaria rápido e em grande distância. Assim fizeram para me ajudar, pois, quando os grupos saem, não fazem isso, só o fazem se houver algum inexperiente como eu.

Viemos tão rápido, em questão de minutos, que não deu para ver nada, e descemos no quintal de minha casa.

– Entremos – convidou Artur.

– A porta está aberta, mas se você quiser, Patrícia, pode atravessar a parede – vovó explicou.

– Depois – respondi.

Mamãe estava sentada no sofá da sala fazendo crochê, estava mais magra. Olhei-a demoradamente. Amo-a demais. Fiquei parada na sua frente. Vovó falou carinhosamente:

– Venha, abrace-a, beije-a.

Aproximei-me de mansinho, beijei sua mão, seu rosto. Tendo consciência que se é desencarnado, notamos muitas diferenças ao nos aproximarmos de um encarnado. Assim, quando fui pegar nas mãos de mamãe, as minhas atravessaram as dela. Beijei seu rosto devagar, emocionei-me. Sempre dei valor a tudo o que tínhamos, mas sem exagero. Sempre fui grata a tudo o que tive e cuidei, dando valor a cada objeto. Ao ver a casa, meu lar, como sempre, dei graças ao Pai. Sempre considerei ter mais do que mereça. Senti vontade de chorar ali na frente de minha mãe, mas me esforcei, levantei-me, refugiei-me nos braços de vovó.

— Agora — Artur disse animando-me —, vamos ver Carla, depois iremos ao sítio para que veja seu pai e seu irmão.

— Você vai volitar ao nosso lado, vamos devagar — disse Maurício.

Os fluidos da Terra são bem mais pesados que os da Colônia. Lá existem boas vibrações, porque não há maldades. Aqui, são mentes boas e más a vibrar. Muitos desencarnados das Colônias e Postos de Socorro, ao voltar à Terra pela primeira vez, sentem falta de ar, tontura e ligeiro mal-estar. Nada senti, porque estava amparada pelos amigos que me acompanhavam.

Volitamos, fiquei no meio, mas sozinha. Ver a cidade de cima, voando, é bem agradável. Chegamos à casa de Carla, abracei-os, ela e meu cunhado Luiz Carlos. Ela logo daria à luz o meu tão esperado sobrinho. Depois fomos ao sítio. Como é agradável volitar no campo, ver as árvores, as plantações e animais. Vi Juninho trabalhando, dei-lhe um forte abraço. Fui até meu pai, beijei suas mãos e agradeci. Papai pensava em mim, mandava seus costumeiros incentivos. Beijei-o e o abracei.

Olhei para nossa casa do sítio.

— Posso, agora, passar pela parede?

Com a afirmativa, fui em direção a casa, mas, perto da parede, parei.

– Como faço?

– É simples, pense que o fará e faça.

Realmente é simples, passei diversas vezes pelas paredes e portas.

– Patrícia, vamos até a casa de sua tia Vera? Talvez, se tudo der certo, poderá você mesma ditar uma mensagem para sua mãe – Artur falou contente.

– Transmitir uma mensagem? Pela psicografia? Mas eu não sei!

– Aprenderá – Maurício respondeu calmamente.

"Como será ditar uma mensagem?" – pensei. Curiosa, dei a mão a eles e volitamos rápido.

15
Psicografia

Entramos na casa de tia Vera, que estava psicografando. Antônio Carlos ditava e ela escrevia descontraída e feliz.

– Veja como é – disse Maurício. – Faça como ele, tudo é muito simples.

Minha tia estava sentada à escrivaninha e Antônio Carlos, sentado ao lado, ditava o que lia em um de seus cadernos. Ele fixava seu pensamento na mente dela. Observamo-los por minutos. Ele parou e disse à minha tia:

– Surpresa! Patrícia está aqui e irá ditar mensagem a seus pais.

Titia realmente se surpreendeu e se concentrou. Pensou em mim, aproximei-me, ela me sentiu. Este "sentiu" significa ver pela percepção. Sorriu contente.

— Como você está bonita! Patrícia, sinta-se à vontade. Vamos escrever?

Aproximei-me mais e a abracei. Ditei devagar e titia foi escrevendo. Foi um bilhete. Mandei abraços, agradeci, dei notícias minhas. Pedi que não se privassem de nada por mim.

Realmente foi mais simples do que pensava. Explicar o que é ser médium é complicado, ainda mais se partirmos para o lado científico. Disfunção orgânica? Um dom a mais? A menos?

O importante é fazer essa sensibilidade ser útil pelo trabalho. Confiar na força do Bem e se esforçar para acertar. Médiuns honestos fazem desse intercâmbio um bem para muitas pessoas.

Ao terminar, agradeci à minha tia e afastei-me. Julgando que já tinha partido, titia chorou de saudades.

Vi meus primos e abracei-os.

— Maurício – indaguei –, titia recebe muitas mensagens. Os desencarnados gostam de escrever?

— Quase todos. Não gostou? Não é agradável dar notícias aos familiares?

— Não conheço ninguém na Colônia, a não ser vovó, que escreva aos seus.

— Psicografia não é um fato tão normal assim. São muitos os médiuns que poderiam trabalhar, mas só pequena parte o faz. Isso diminui os canais de intercâmbio. Depois, são poucos os encarnados que desejam receber notícias, a maioria não crê nessa possibilidade. Mensagens, como todas as graças, não devem ser ofertadas, mas pedidas.

– Agora, passaremos novamente em sua casa para que veja sua mãe e, depois, voltaremos à Colônia – Artur disse, pegando minha mão.

Beijei mamãe de novo, pedi a ela para ficar alegre. O telefone tocou. Era minha tia contando-lhe a novidade.

– Você a viu? – indagou mamãe emocionada. – Está bonita? Bem? Graças a Deus!

Desligou o telefone, olhou para o quadro de Jesus que enfeita a parede de nossa sala, orou comovida, agradeceu e, com lágrimas nos olhos, rogou:

"Jesus, muito obrigada! Cuida sempre dela para mim, por favor!"

– Ah, Jesus! Cuida deles, por favor! – completei com fervor.

Voltamos à Colônia. Volitamos até o portão, que foi aberto e entramos. Estava calada, vê-los diminuiu minha saudade. Sabia que eles sofriam, mas estavam fazendo até o impossível para que eu tivesse a tranquilidade necessária a minha adaptação. Mamãe era a que mais sentia. Maurício disse carinhosamente:

— Tudo passa, menina Patrícia. O tempo cura feridas.

— Mas deixa cicatrizes – respondi.

— Cicatrizes não doem. Você será sempre lembrada por seus familiares, é amada. O tempo suaviza até a saudade – Maurício finalizou.

— Agradeço-os por tudo – disse comovida.

— Vamos ao teatro? – Frederico me convidou.

Fomos. Um coral de outra Colônia apresentou lindas canções, distraí-me. Ah, os amigos... O que seria da gente sem eles?

Periodicamente, um deles me acompanhava para visitar minha família, até que pude ir sozinha. Ver os familiares é uma alegria indescritível. Frederico explicou-me:

— Patrícia, você pode fazer essas visitas, porque não se perturba com elas, porém a maioria dos que desencarnam espera muito tempo por isso. O desencarnado necessita ter entendimento, ter aceitado a desencarnação e os familiares precisam estar conformados. Muitas vezes o desencarnado pode ter vontade de ficar e, às vezes, fica, principalmente se encontra o lar terreno com muitos problemas ou quando os encarnados o chamam, pedindo ajuda. Os orientadores daqui têm de analisar todos esses problemas antes de dar a autorização para a visita aos entes queridos, porque, em muitos casos, pode ser prejudicial ao visitante.

Sempre escrevi cartas, mensagens à minha família, contando a eles o que via e sentia, assim eles acompanhavam meu progresso e a saudade suavizava. Quando não podia ir ditar, um de meus amigos o fazia por mim.

Antônio Carlos, que sempre me incentivara a fazer as mensagens, um dia esclareceu-me:

— Patrícia, essas mensagens também não são privilégio. Isso pôde acontecer por dois fatores: por merecimento dos seus pais e para você já iniciar, fazer um treino.

— Treino?!

— Por que se espanta? Sua tia sempre lia seus pensamentos. O intercâmbio é fácil entre vocês duas. Treino, sim, certamente mais tarde irá querer ditar aos irmãos encarnados tudo o que vê e aprende aqui.

— Escrever livros?!

Ri gostosamente, e Antônio Carlos, também.

— Por que não?

— Não sou escritora.

— Aprenderá a ser.

Não pensei mais nisso, mas continuava com as mensagens, elas eram presentes, bálsamo à saudade dos meus.

Via sempre pelo aparelho de "televisão" meus familiares. Apenas minutos por dia, porque temos que educar nossa vontade, senão poderemos querer vê-los a todo momento. Poderia, entretanto, escolher horário para vê-los. Sempre o fazia à tarde ou à noite. Orava antes, via-os, desligava e voltava a orar, sempre me esforçando para estar tranquila. Era uma exceção ter esse aparelho. Foi Artur quem me deu. É raro alguém ter um aparelho desse tipo. Foi possível porque Artur, espírito simples, mas com vastíssimos anos de trabalho útil, recebera de presente pelo muito que fez à Colônia. Mas há, em vários prédios da Colônia, salas com essas televisões. Na escola e no hospital, os desencarnados podem receber autorização para ver seus familiares. Principalmente no hospital, onde os doentes em recuperação se preocupam com a família, desejam saber como eles estão.

Antes de ser atendido, cada pedido é examinado. Se os instrutores acharem que será útil, podem os interessados fazer uso desse recurso tão gratificante. É necessário que haja esse processo, porque muitos desencarnados, ao verem os familiares, mesmo que seja pela televisão, choram desesperados, piorando sua situação. Cada caso é um caso. Se o desencarnado está melhor, e tendo o conhecimento dessa possibilidade, se quer dela utilizar, faz o pedido e os orientadores analisam se ele vai poder ou não fazer uso desse maravilhoso aparelho. Assim mesmo pode acontecer de não dar certo. Mas se há permissão, vão com os orientadores à sala própria. Para muitos representa bênção, alegria saber dos seus, vê-los. Para outros, nem sempre, porque ver os familiares com problemas, sofrendo, não é agradável. A maioria dos moradores daqui gosta de usar desse recurso, e os que trabalham pagam por isso. Considero justo, pois é uma forma de incentivar o trabalho e premiar o trabalhador.

– Artur – indaguei –, recebi muitos presentes, até de bônus-hora. Por que isso é possível?

– Presentear é tão agradável! Certamente temos a liberdade de usar os nossos bônus para presentear, mas tomamos cuidado para não incentivar a preguiça, a inércia em quem presenteamos. Os recém-chegados aqui, amigos e parentes gostam de agradá-los e também incentivá-los a serem úteis.

– Você me deu a televisão, foi um presente tão agradável ao meu coração! Tudo foi me dado com alegria, carinho, recebi-os com gratidão.

– Nunca usei esse aparelho, recebi com carinho e guardei. Presentear você, que o utiliza, deixou-me contente, é sempre gratificante poder alegrar alguém.

Para todos aqueles que encaram a realidade com naturalidade, a desencarnação não os separa dos entes amados e a sua ausência fica menos sentida.

16
Uns vêm, outros vão

Dedicava-me cada vez mais ao trabalho na escola. Todas em casa trabalhavam. Como os turnos eram em horários diferentes, em raros momentos estávamos juntas. Estava gostando muito da escola. Dona Dirce era encantadora, gentil, sempre pronta a nos esclarecer e tirar qualquer dúvida. Ela usa sempre um conjunto de saia e casaco cinza-claro, é elegante, extremamente simpática. Um dia, ao observá-la, esclareceu-me bondosamente:

— Quando encarnada, gostava muito de um traje parecido com este. Aqui, esqueço-me de roupa e moda. Sinto-me bem assim.

— A senhora está muito bem, é elegante. É que, quando encarnada, nunca pensei como os desencarnados se vestiam e, assim, ainda reparo nesses detalhes. Desculpe-me se a observava.

— Não há por que a desculpar, logo isto não a preocupará mais. Muitos encarnados pensam que desencarnados só usam roupas brancas no plano espiritual e nas Colônias. Talvez haja essa ideia porque aqui nos vestimos com simplicidade, como se quer. Os que trabalham nos hospitais e nas equipes médicas normalmente usam roupas claras ou brancas. Os jovens preferem roupas coloridas e, agora, até jeans. Só somos educados para vestir-nos decentemente e não abusar das tonalidades fortes. Cores neutras, claras, descansam a vista.

No começo, trocava sempre de roupa, achava estranho vestir uma só, mas fui fazendo cada vez menos. Preferia calças compridas e camisetas. Mas a maioria, principalmente os mais velhos moradores da Colônia, como d. Dirce, não troca de roupa. E ninguém presta atenção nesse particular, ninguém a chamava de mulher de cinza, fato que ocorria entre os encarnados.

Meus alunos eram uns amores. Todos educados, queriam aprender. Eles também quase não trocavam de roupa. A maioria trabalhava no período da manhã e estudava à tarde. Eram separados em classes, conforme suas necessidades, considerando a facilidade ou a dificuldade para aprender. Lecionava para os que tinham mais dificuldades. Eles tinham conhecimento desse detalhe, não se sentiam humilhados, mas, sim, incentivados a aprender. Normalmente tinha de explicar as lições várias vezes e o fazia com gosto.

Como dormia menos, tinha mais tempo livre, e quis trabalhar também no período da manhã. Frederico convidou-me para ajudá-lo e comecei com muito gosto. Ele atendia, no hospital, os doentes em estado de recuperação, os melhores. Numa salinha, conversava com os que o procuravam, ajudando-os a resolver os problemas. Ficava como atendente, uma espécie de secretária, fazendo fichas de atendimento e encaminhando os pacientes.

Marcela, uma enfermeira que trazia os pacientes, explicou-me:

– Dr. Frederico é ótimo profissional, gostaríamos de tê-lo sempre aqui. Tem nos ajudado bastante e, como conhecedor e estudioso do comportamento humano, tem resolvido de modo satisfatório inúmeros problemas. Está aqui entre nós temporariamente, veio para auxiliar um ente querido na sua adaptação e, depois, deve voltar a lecionar nas Colônias Universitárias.

Tive a certeza de que era eu o ente querido que Frederico auxiliava. Sentia que o conhecia, que estávamos ligados por afeto sincero e puro, só não conseguia lembrar. Também não me preocupei com isso. Quando chegasse a hora lembraria, tudo tem seu tempo. Recordaria no momento certo.

Um de meus alunos, Jaime, convidou-me para ir a uma festinha em sua casa. Era a despedida de um de seus filhos, que logo reencarnaria.

— Venha, Patrícia — disse ele —, vamos incentivá-lo e lhe desejar que a reencarnação seja proveitosa.

Vovó acompanhou-me. A casa de Jaime é agradável, como todos os lares da Colônia. Ele mora com muitos parentes. Leonel, seu filho, deveria retornar logo à matéria e, como todos por aqui, sentia medo e insegurança, pois sabia que o mundo material é muito ilusório. Os amigos o animavam. Jaime leu o texto do Evangelho de João, 3:1-12, em que Jesus explica a Nicodemus a necessidade de renascer. Depois, oramos em conjunto. Leonel agradeceu comovido. Foi uma reunião agradável, em que o neto de Jaime tocou violão e cantou lindas canções.

— É estranho fazer festa para um espírito que vai reencarnar — comentei com vovó.

— Nem tanto assim, os amigos se despedem, animando Leonel. Isto é a vida! Infelizmente não são todos que vão reencarnar, que recebem esse carinho.

Despedimo-nos de Leonel, desejei de todo coração êxito na encarnação, que lhe seria uma bênção para progredir.

Luíza, uma das moradoras de nossa casa, estava aflita esperando a desencarnação de seu pai. Quando lhe avisaram que se aproximava a hora, ela pôde visitá-lo para ajudar. Desligou-o da matéria e o levou para um Posto de Socorro. Ela sabia que ele não tinha conhecimentos nem merecimentos para estar bem e tranquilo. Triste, comentou:

— Sou grata a Deus por ter podido tirá-lo do corpo morto e levá-lo para um socorro. Agora, dependerá dele ficar lá ou não. Estou orando muito por ele.

— Uns vão, outros vêm! Ontem fomos à festa de despedida de Leonel, que vai reencarnar. Hoje é seu pai que desencarna! – exclamei pensativa.

Meu sobrinho estava para nascer, a expectativa era grande. E, no tempo previsto, aquele espírito querido de todos nós nasceu na matéria. Pertence ao nosso grupo familiar e, antes de reencarnar, ele já sabia que a família passaria por este período difícil. Encantou a todos, principalmente minha mãe. Rafael chorava, só quietava nos braços da avó, chamando assim minha mãe para a realidade da vida. Uns vão, outros vêm.

Artur presenteou-me com um pôster do Rafael, que coloquei na parede do meu quarto. Plasmar foto é fácil para aqueles que sabem, mas também não é difícil aprender. Na escola, há cursos para aprender, pela força

177

do pensamento, a plasmar no papel, ou onde quer que seja, uma gravura, uma foto etc. Em casa, todas as moradoras têm fotografias. Vovó tem as paredes de seu quarto cheias de fotos, dos filhos, netos e bisnetos. Artur prometeu-me que todo mês traria uma foto do Rafael para que pudesse acompanhar seu crescimento.

Quinze dias após o nascimento de Rafael, pude visitá-lo. Maurício e vovó acompanharam-me. Vi meu pai, meu irmão e fiquei contente por ter encontrado mamãe melhor. Volitei tranquilamente entre os encarnados, atravessei portas e paredes.

Emocionei-me ao ver meu sobrinho. Tão lindo! Estava acordado e quietinho em seu berço. Aproximei-me e o abracei, ele sentiu meus fluidos e sorriu.

Fiquei tão feliz! Desejei muito ser tia, vê-lo encheu-me de orgulho. Ser tia é maravilhoso!

17
Necessidades

Um dia, Maurício e eu fomos à biblioteca. Em uma das estantes, numa divisória espelhada, olhei observando-me e ajeitei os cabelos que, para minha comodidade, ficavam sempre como desejava. Maurício sorriu e começamos a falar sobre necessidades.

– Patrícia – meu amigo explicou –, muitos encarnados não julgam que a vida continua, sem saltos. As necessidades do encarnado acompanham-no, como também os reflexos da doença. São poucos, pouquíssimos os que, ao desencarnar, entendem e libertam-se imediatamente desses reflexos, das necessidades. A maioria só aos poucos vai deixando-os.

Oscar, um conhecido a quem já havia sido apresentada, e que trabalha na biblioteca, estando perto, parou com sua pesquisa e ficou escutando a preciosa lição. Com ele, estava um rapaz, que também acabou por participar da nossa conversa.

– Desculpe a intromissão. Este é Ramiro – apresentou-nos o rapaz. Após os cumprimentos, Oscar continuou a falar: – Estou incluído na maioria a que Maurício se referiu. O senhor tem razão, necessito progredir e agora. O comodismo, o "estar muito bem assim", faz com que paremos. Já estive pior, mas não é por isto que não posso querer melhorar.

– Realmente – disse Maurício –, devemos ser aqui e agora. O que e como fazemos é o que somos.

Curiosa, indaguei:

– Oscar, como foram suas necessidades?

– Foram bem diferentes das suas. Você, Patrícia, veio sem vícios, nem de carne se alimentava. Quem não cria hábitos negativos adapta-se com mais facilidade. Você não deixou para depois, fez quando encarnada, mas eu, por minha vez, fiquei adiando a transformação, mesmo quando aqui cheguei. Você não ficou nos atos externos, fez interiormente. A simplicidade facilita. Observe que no Educandário as crianças acostumam-se rápido, e logo a maioria aprende a tirar da natureza seu alimento com naturalidade. Eu, quando encarnado, nada conhecia do mundo espiritual, tinha religião de forma externa. Desencarnei e fui para o Umbral. Não era receptivo para ter um socorro e, se não sofresse, não iria dar valor ao que uma Colônia Espiritual oferece. Acho mesmo que, se viesse logo que desencarnei para cá, nem iria gostar. Senti dores horríveis, que eram o reflexo de minha doença. Tinha fome, sede, sentia calor e frio. Alimentava-me de plantas que encontrava, tomava água de filetes sujos, também evacuava e urinava pelos cantos, pelo chão. Ansiava desesperado pelo cigarro e pelos meus aperitivos. Sofri muito. Por anos fiquei no Umbral, porém, certo dia, um parente desencarnado que vagava como eu, mas que sabia ir até os encarnados, levou-me para meu ex-lar terreno. Este parente vivia entre os encarnados e no Umbral. Fiquei com meus familiares e me senti melhor. Perto deles, tragava os cigarros quando eles fumavam, bebia e comia.

– Como?! – quis saber.

– Troca de energia. Se você fica perto de um fumante, sente a fumaça, se ficar colado, fuma junto. Alimentava-me quando eles tomavam as refeições, sentava-me à mesa e inalava os fluidos dos alimentos. E, ainda, sugava as energias dos encarnados. Com isso melhorei, mas não estava bem. Sentia dores e frio, estava triste e insatisfeito. Notei que os estava prejudicando, fiquei chateado. Não queria voltar para o Umbral e não sabia como resolver o problema. Acabei por cansar-me e querer uma outra forma de vida. Comecei a orar, a pedir a Jesus que me auxiliasse. Um dia, para minha alegria, um socorrista veio em meu auxílio e fui conduzido a um Posto de Socorro. Fiquei internado em tratamento, fui melhorando aos poucos. Alimentava-me quatro vezes ao dia. Esforcei-me para largar o tabaco, pois nos Postos de Socorro e nas Colônias[13] não há cigarros, mas sim um tratamento para deixar o vício. De qualquer forma, a luta é de cada um. Graças a Deus, consegui, logo não tinha mais vontade de fumar. Mas demorei a recuperar-me. Encarnado, tomava banho diariamente, era higiênico. No Umbral, tudo é sujo, não há como se banhar. Sentia falta disso, mas a fome, a sede e as dores eram minhas primordiais necessidades. Quando fui socorrido, estava feio e sujo, porém, no Posto de Socorro tomava banho todos os dias e usava o banheiro para as necessidades.

Oscar fez uma pausa e Maurício aproveitou para nos dar alguns esclarecimentos.

— Nas cidades do Umbral, seus habitantes são irmãos ignorantes no mal, a higiene não está nos seus costumes. Porém, sabemos que muitos deles se higienizam de forma rudimentar. Conheci muitos habitantes de

---

13. Postos de Socorro são, na maioria, pequenos locais de primeiros socorros. Estão localizados na crosta terrestre e nos umbrais. As Colônias são maiores, são cidades espirituais (N.A.E.).

lá relativamente limpos. Isso depende de cada um. Mas, como Oscar narra, com dificuldades mais sérias, a higiene fica em segundo plano. Os que vagam sofrendo pelo Umbral não conseguem higienizar-se.

– Recuperado – Oscar continuou –, quis entender o que se passava comigo, e vim para a Colônia estudar e trabalhar. Nada entendia da existência desencarnada, necessitava aprender. Hoje, anos depois, gosto de ler, saber, trabalho, estou tranquilo, alimento-me raramente e minhas necessidades fisiológicas são poucas. Aqui estou bonito e sadio. Meus cabelos – passou a mão na nuca – não me preocupam.

Rimos, Oscar é careca, tem poucos cabelos.

– O que demorei para largar foram os óculos – continuou nosso amigo –, tinha a impressão de que sem eles não enxergava. Por incrível que possa parecer, estive sempre com eles, no Umbral e vagando.

– É mesmo! – exclamei. – Não é comum ver alguém de óculos aqui. Lembro que vovó Amaziles usava óculos, quando encarnada, mas agora enxerga muito bem.

Maurício esclareceu-nos:

– Defeitos, doenças, são do corpo carnal, embora a impressão deles possa ser forte no corpo perispiritual. Aqui, basta compreender, aprender, para sentir-se sadio. Quando digo aqui, refiro-me às Colônias e Postos de

Socorro. Os que vagam ou por afinidade acabam nos umbrais quase sempre têm doenças e deficiências que os acompanham. Muitos desencarnados bons, ao quererem identificar-se entre os encarnados, podem plasmar óculos, ou até mesmo deficiências. O livre-arbítrio é respeitado. Conheço alguns espíritos bons, trabalhadores do Bem, que não querem desfazer-se das deficiências, dos óculos ou da bengala. Estão bem assim, usam-nos porque querem. Oscar é careca porque quer. Se não, teria uma bela cabeleira.

Rimos.

– Realmente – disse Oscar –, identifico-me com minha careca e não a considero uma deficiência. Mas o que acho bom mesmo é não ter de ir ao dentista.

– É mesmo! – exclamei. – Não pensei nisso, tenho visto aqui todos com dentes perfeitos.

Maurício aproveitou para nos esclarecer:

– Patrícia, todos aqui na Colônia podem ter dentes perfeitos. Ao se recuperar de doenças, refaz-se também a dentição, que não estraga mais, nada de cáries. Infelizmente, os desencarnados que vagam, os que ainda não foram socorridos, continuam como estavam, se não tinham dentes, continuam sem eles. Não tenho conhecimento de que estragaram mais os dentes, creio que continuam como desencarnaram.

— Aqui na Colônia não ficamos mais doentes? – quis saber curiosa.

— Uma vez sadio, sempre sadio. Um desencarnado que está bem aqui na Colônia e nos Postos de Socorro não adoece mais. Mas se não estão totalmente recuperados e saem sem permissão, voltando para os ex-lares, ou seja, vagando, quase sempre recomeçam a sentir os reflexos de suas doenças. Isso porque não sabem ainda se manter sadios sem os fluidos benéficos desses lugares. Mas os que seguem os regulamentos continuam sempre bem. Não há por que ter doenças.

— Maravilha! – exclamei.

18
A história de Ramiro

R amiro nos escutava com atenção, então lhe perguntei:

– E você, Ramiro, não quer falar um pouco de si? Escutar amigos é obter informações.

– Até pouco tempo envergonhava-me de falar da minha vida encarnada e de minha desencarnação. Depois, aprendi que todos nós temos nossas histórias e que aqui na Colônia não há críticas e, sim, ajudas. Tem razão, Patrícia, escutar amigos é receber preciosas lições. Minha desencarnação foi bem triste. Por que a maioria das desencarnações é triste?

Fez-se silêncio de minutos. "Realmente" – pensei. "De quase todos aqui, escutei: 'Minha desencarnação foi triste...' ou 'Sofri muito na minha desencarnação...'" Foi Maurício quem respondeu:

— Porque a maioria não pensa na desencarnação para si, não se prepara para a continuação da vida. Vivem encarnados como se fosse seu objetivo maior, amam mais a matéria do que as verdades espirituais. Não amam o verdadeiro e sim, as ilusões da carne e a elas ficam presos. Desesperam-se ao deixar o corpo físico perecível, esquecem-se de que esse veículo é temporário. Não vivem de conformidade com os exemplos de Jesus, temem a morte do corpo. Assim sendo, a desencarnação é triste e dolorida. Mas os bons, os que encarnados serviram ao Pai, viveram os ensinos de Jesus, nada temem e a desencarnação é uma alegria.

Maurício quietou e olhamos para Ramiro, convidando-o a continuar narrando. Nosso amigo não se fez de rogado.

— Desencarnei jovem. Usava drogas, não era ainda um dependente, ou pensava não ser. Iludimo-nos muito ao fazer uso de drogas, pois achamos que podemos parar quando queremos, mas ao tentarmos nos libertar é que compreendemos quanto estamos presos a elas. Comecei com maconha e passei à cocaína. Minha família não sabia, nunca soube, pois não tinha motivos para justificar meu envolvimento com as drogas. Agora, tenho certeza de que não há motivos que justifiquem essa loucura. Comecei quando namorei uma garota muito bonita e cobiçada pelos garotos da escola. Ela e sua turma fumavam e induziram-me a fumar maconha. Com um medo idiota de ser tachado de bobo, imaturo, passei a fumar. Terminei o namoro, mas fiquei na turma. Numa corrida, num "racha" com uma moto emprestada, tive um acidente. Caí e bati com a cabeça numa pedra. Meu corpo morreu na hora.

Fiquei muito perturbado. Vaguei por entre os familiares e com os amigos da turma, estes deram uma parada com as drogas, temeram com minha desencarnação. Alguns dias depois que desencarnei, comecei a sentir falta da cocaína. Todo meu perispírito ansiava pela droga. Foi horrível. Em casa, o desespero de ver minha mãe chorar agoniava-me. Sentia-me culpado. E fui. Desencarnei por minha imprudência, por brincar com a moto, veículo tão perigoso, e por estar drogado. Desencarnei antes da hora prevista. O sofrimento dos meus enchia-me de culpa e remorso e, como me incomodava ficar em casa, saí e vaguei. Entendi que desencarnara, embora não soubesse ao certo o que ocorrera comigo, meu corpo estava morto, mas eu continuava vivo e não sabia o que fazer. Foi aumentando a vontade de injetar cocaína. Nunca pensei em sofrer tanto. Esta foi minha necessidade primordial. Não me incomodava com alimentação, frio ou calor, mas às vezes sentia sede. Resolvi buscar a droga. Sabia de outra turma que tomava muito mais drogas que a nossa. Fui procurá-los. Nem me aproximei, porque ao lado deles estavam monstros horríveis. Mais tarde vim a saber que eram tão somente desencarnados viciados, irmãos em sofrimento presos a drogas e que vampirizavam aqueles encarnados viciados.

Estava desesperado. Sentia minha avó orando por mim. Ela era espírita, o que era motivo de gozações de nossa parte, principalmente dos netos. Pensei: "Não é que minha avó deve estar certa? Morri e estou aqui como espírito, vagando". Lembrei-me dos termos que ela usava. Sabia onde se localizava o Centro Espírita que ela frequentava e fui andando até lá. Estava aberto. Entrei envergonhado. Quando um senhor, um socorrista desencarnado, indagou-me o que queria, falei implorando: "Socorre-me pelo amor de Deus! Aqui não ajudam espíritos que vagam? Morri e não sei o que fazer. Estou desesperado. Quero tomar uma dose de cocaína, senão morro. Não posso morrer outra vez, não é? Se não posso morrer de novo, não sei o que acontecerá se não tomar a cocaína. Minha avó frequenta aqui. Socorre-me!"

O socorrista me olhava bondosamente, caí nos seus braços e dormi. Sou grato aos espíritos, às pessoas bondosas que me acolheram. Fui levado a um hospital, a uma ala onde se faz a recuperação de viciados em tóxicos. Não foi fácil minha luta contra o vício. Desesperava-me e era bondosamente auxiliado pelos irmãos que lá trabalham. Foram muitos meses em tratamento. Tomava passes, aprendi a orar e, nos momentos em que não estava em crise, lia livros espíritas e o Evangelho. Tomava refeições, água, banhava-me somente quando me sentia melhor.

    Quando melhorei, fui ver outros irmãos imprudentes como eu. O que vi, não esqueço. Sofrimentos que nunca pensei existir. Eram muitos jovens deformados, débeis em recuperação, iguais aos que julguei serem monstros. Entendi que, socorridos, estavam no caminho que os livraria do sofrimento. Piores eram os que não tinham socorro, os que não queriam libertar-se. Compreendi que não sofri tanto, porque minha avó com suas preces sinceras guiou-me. E também porque não fiz outras ações erradas, não cometi crimes, tão comuns entre os toxicômanos. E busquei logo um socorro, senão iria vagar em sofrimento como tantos outros. Desintoxicado vim para o Educandário, onde estudo e me preparo, porque quero, no futuro, ser um socorrista de irmãos escravos dos vícios. A maior necessidade que tive como desencarnado foi, para meu sofrimento, minha agonia, a cocaína. Só ansiava, desesperado, por ela.

    Ramiro calou-se e foi abraçado por Maurício.

— Estamos presos ao que nos ligamos quando encarnados. Tenho certeza de que você, meu jovem, será um excelente socorrista.

— Será, sim! — Oscar falou, sorrindo.

Ramiro, aproveitando a presença de Maurício, indagou-o ávido por aprender:

— Maurício, o que acontece com as pessoas com doenças como o câncer, que tomam remédios fortes para conter as dores e que muitas vezes esses medicamentos abreviam a existência física? Elas também sentem falta dessas drogas quando desencarnam? Está errado tomá-las, já que abreviam a existência corporal?

— Cuidar do corpo físico é obrigação de todos nós que, por certo período, o temos para viver encarnados. Temos que dispor do que a Medicina terrena nos oferece para curar as doenças. Se o que dispomos para amenizar nossas dores pode abreviar a existência, não é culpa nem dos médicos nem dos doentes. Acredito que a ciência logo encontrará novas formas de alívio e curas. Mas, meu jovem Ramiro, ao tomar uma droga como medicamento indispensável, ela não nos fará falta quando desencarnarmos. Porém, como médico socorrista, há anos vejo muitos agirem de várias formas diante da dor. Os que sofrem doenças dolorosas no corpo, com resignação, são socorridos e logo estão bem. Os que se revoltam diante da mesma dor, ao desencarnarem, nem sempre podem ser socorridos e sentem os reflexos da doença. Querem, às vezes, os remédios para se curar, suavizar as dores, mas não são viciados, não sentem falta da droga, pois as tomaram como medicamento. Tenho visto, aqui, pessoas que ficaram dependentes de soníferos e, quando socorridas, têm de aprender a dormir sem eles, têm de se livrar dessa dependência. Remédios devem ser tomados quando necessário. E nos casos de câncer, doença que normalmente provoca dores terríveis, mesmo se acontecer de eles abreviarem a existência, é certo tomá-los. É o que a Medicina dispõe como tratamento. O uso é permitido, o mau uso é que é condenado.

Quietamo-nos por momentos. Achando que podia nos elucidar mais, bondosamente Maurício completou:

– Podemos dizer que os habitantes da Terra, encarnados ou desencarnados, são de dois modos: há os que, por esforço, tornam-se autossuficientes ou servos úteis, e há os necessitados, embora entre os dois haja os aspirantes, os que querem aprender a ser úteis. A faixa dos primeiros infelizmente é pequena. Basta observar nos Centros Espíritas: os que vão para ajudar são poucos, e grande parte é necessitada porque quer. Tendo oportunidade, eles não desejam passar de necessitados a autossuficientes. Essas necessidades acarretam sofrimentos, como aconteceu com Oscar e Ramiro, e também com tantos outros. Ser ou não ser. Encarnado, ainda pode enganar e iludir-se. Mas desencarnado, não há como. Isso porque os fluidos, as vibrações de um espírito bom, são agradáveis, e os fluidos dos espíritos ignorantes são nocivos. A alma, o espírito, tem sempre muitas oportunidades e pode, pelo seu livre-arbítrio, refletir o belo e o bem, ou o feio e o mal. O belo e o bem apresentam-se em harmonia e com equilíbrio, e dessa união surge o amor que os leva a progredir espiritualmente. O feio apresenta-se na turbulência da ignorância, gerando o ódio, a inveja, os desejos insaciáveis, o egoísmo, que é a maior chaga perturbadora, o luxo e a luxúria, tornando o homem um verdadeiro vulcão de conflitos interiores, tornando a vida humana um inferno, seja encarnada ou desencarnada.

Devemos compreender sem ilusão o que realmente somos, e não o que pensamos ser, e, com coragem, realizar nossa transformação. Ser agora, no presente. O futuro é uma consequência vivida do presente e não fruto de aspirações de uma mente ociosa, que deixa sempre essa transformação para depois. É nossa obrigação passar de necessitado a útil.

Oscar, Ramiro e eu agradecemos comovidos a Maurício pela bela lição. Prometi a mim mesma não ter mais necessidades, não somente as que se refletem do corpo físico como a de alimentação, a de dormir. Mas as principais: não ser pedinte de graças, não querer que outras pessoas façam o que posso fazer e também aprender a ser útil e a servir.

19
Túmulo

Estava realmente querendo aprender, curiosa e interessada, indagava sempre aos meus amigos e orientadores as dúvidas que iam surgindo. Gostava cada vez mais da vida espiritual. Sentia que minha encarnação fora um período de viagem e que agora retornava ao meu verdadeiro lar.

Foi com muita alegria que aceitei o convite de Artur para assistir a uma reunião espírita no Centro que minha família frequenta. Fomos bem antes da hora do início. Visitei meus familiares, alguns tios e várias amigas. Como ainda tínhamos tempo, Artur convidou-me:

— Não quer ir ao cemitério e ver onde seu corpo está enterrado?

— Estranho pensar que meu corpo está enterrado, não sinto assim.

— Ainda bem! Nosso corpo de carne é uma vestimenta querida. Você respeitou-o, cuidou bem dele, mas ele é perecível, não se esqueceu disso. Vive bem sem ele. A maioria sofre muito sua perda.

Fomos. O cemitério é um local contraditório. Uns o acham triste e não gostam dele, outros deliciam-se passeando, lhes é agradável. Lugar de sofrimento para muitos e também de trabalho a tantos socorristas. Andamos e fui observando tudo. Sentado no muro estava um grupo de espíritos ociosos, feios e sujos, contando anedotas e gargalhando. Não nos viram, pois só conseguiriam se quiséssemos. Somos mais sutis, e eles só veem os que vibram igual a eles e a matéria.

Não paramos. Logo na entrada escutei gemidos, ais desesperados que saíam de alguns sepulcros.

— Muitos, inconformados com a morte do corpo, não querem largá-lo — Artur explicou.

Vi os socorristas, espíritos que pacientemente tentam ajudar, amenizando os sofrimentos de irmãos imprudentes que amaram mais a matéria perecível que a espiritualidade. Os socorristas também tentam orientar os arruaceiros que estão sempre no cemitério, mas não moram lá. Esses espíritos bagunceiros vão lá por não terem algo mais interessante para fazer.

Ao me aproximar do local onde meu corpo fora enterrado, vi duas senhoras que não conhecia, comentando baixo:

– Patrícia morreu tão jovem, era bonita e educada.

– Estudava e trabalhava, era um ser útil, tinha futuro. Coitada!

Oravam com sinceridade, por mim.

– Elas não sabem que tenho um presente e um futuro lindos – comentei.

– O não entendimento da continuação da vida leva muitas pessoas a terem pena de quem desencarna. A desencarnação para os bons é paz e alegria. Para os maus e ociosos é o começo de sua colheita.

Fiquei grata às duas senhoras, orei por elas agradecendo-as. Envolvi-as em fluidos de paz. Artur me esclareceu:

– A prece muitas vezes não atinge a quem se pretende beneficiar, mas, indiscutivelmente, beneficia a quem ora.

Andamos mais uns metros em silêncio, quando Artur parou e mostrou-me:

– É aqui!

Olhei analisando. É um túmulo simples bem a gosto dos meus familiares. Sinceramente, nada senti. Li devagar os dizeres que meu pai sabiamente ali colocou: "Aqui jazem os restos mortais do corpo físico que Patrícia usou para viver e manifestar-se em nosso meio. Saudades".

Fiquei por minutos a olhá-lo e a meditar. Sabia de antemão que meu espírito sobreviveria à morte do corpo, porém agora compreendia o que Jesus falou: "Deixai os mortos enterrarem seus mortos". Além da morte física, muitos estavam mortos espiritualmente. Olhei em volta e vi espíritos que, além de terem perdido o corpo físico, continuavam cegos, surdos e mudos para a vivência na unidade com Deus. Enfim, mortos para a verdade eterna. Observando melhor, vi que não havia diferença substancial entre o encarnado avesso ao espírito e o desencarnado esquecido de sua semelhança com Deus. Os fluidos, tanto de um como de outro, eram apagados, feios, até cheiravam mal, como encarnados que vibram mal e não fazem sua higiene corporal.

– Vamos, Patrícia – Artur me chamou.

– Sim.

Foi um alívio sair do cemitério, pois não gostava de visitá-lo quando encarnada nem desencarnada.

Fomos ao Centro Espírita. Encantei-me ao ver que, junto com a construção material, existe a construção de energia mental que os desencarnados não podem atravessar. Por isso muitos desencarnados julgam-se presos em alguns Centros Espíritas. Mas, se lá ficam, é para esperar a hora certa para receber orientação ou ajuda para seus males.

O Centro Espírita é simples, conhecia-o bem. A construção mental que somente os espíritos veem é bem grande, é um Posto de Socorro onde atendem desencarnados enfermos. Possui um pátio para os encarnados e, para nós, um jardim. Tudo muito limpo e confortável. Os trabalhadores cumprimentaram-me sorrindo como se me conhecessem.

– De fato a conhecem – Artur esclareceu-me. – Você frequentava o Centro Espírita encarnada. Tantas vezes orou pelos irmãos infelizes.

Respondi timidamente aos cumprimentos e agradeci o carinho.

– Patrícia – disse Artur –, tenho trabalho a fazer. Você ficará aqui com Tião e Lourenço. Quando começarem os trabalhos, mandarei buscá-la.

O "aqui" que Artur se referiu é a frente do Centro. Para os encarnados há um portão, um corredor e uma porta. Para nós, após o portão, existe um corredor mais estreito e uma saleta onde está a recepção, local onde são atendidos os desencarnados que ali buscam socorro e orientação. Em seguida, são atendidos e encaminhados aos trabalhos e à ajuda necessária. Do mesmo modo que vão os encarnados em busca de ajuda, vão também muitos desencarnados.

Curiosa, fiquei observando tudo. E começaram a chegar os que pediam auxílio. Muitos vinham acompanhando os encarnados. Uma senhora veio pedir pelo filho, também desencarnado, que vagava pelo Umbral. Um senhor queria ajuda para a filha encarnada que se achava em crise conjugal por influência de um desencarnado perturbado. Tião e Lourenço anotavam os pedidos, depois os orientadores estudavam, procurando atendê-los no que fosse possível.

Um senhor idoso aproximou-se, andava com dificuldade, e queixou-se:

— Vim aqui pedir orientação ao seu Zé. Há tempo estou doente e pioro a cada dia. De uns tempos para cá, todos parecem ignorar-me, não me dão atenção, nem remédios, não conversam comigo. Não lhes fiz nada... Como sei que seu Zé ajuda a muitos, venho pedir-lhe ajuda. Posso falar com ele?

Falava mole, olhando para os lados e, de repente, encarou-me.

— Valha-me Deus! — gritou. — A filha morta do seu Zé! Uma assombração! Acudam-me!

Corri e me escondi atrás de Tião. Não sabia o que fazer. Lourenço aproximou-se dele, acalmou-o com passes e outros trabalhadores vieram e levaram-no para o interior do Centro.

— Logo mais receberá a orientação por meio de uma incorporação – Lourenço disse sorrindo.

— Tenho jeito de assombração? – indaguei, rindo para meus amigos. – Que susto o coitado levou! Não queria assustá-lo e nem quero fazer isso com ninguém.

— Você não assombra, e sim enche de luz e alegria onde está – Lourenço falou bondosamente. – Desencarnado que não sabe reconhecer seu estado teme outros desencarnados, muitos têm medo até de entes queridos.

Continuei lá, tentando ajudar no que era possível. Estava anotando pedidos distraída, quando escutei.

— Psiu...

Olhei e vi um rapaz, que sorriu.

— Oi – disse ele.

— Oi – respondi.

— Você me vê?

— Vejo.

— Que legal! Começava a temer o fato de estar ficando invisível.

Parei de escrever e observei-o. Era jovem, estava bem vestido, só que sujo. Continuou sorrindo e me olhando.

— Faz tempo que não converso com uma gata. Sabe que é bem bonita? Quando larga seu serviço? Posso esperá-la e levá-la para casa ou para passear um pouquinho?

Fiquei surpresa e novamente não soube o que fazer. Lourenço veio em meu auxílio.

– Oi, meu rapaz! Não quer entrar e entender por que a maioria o considera invisível? Não tenha medo. Venha, precisa conversar.

O rapaz sentiu receio, mas a fisionomia de Lourenço inspira confiança. Entrou com ele, mas, antes, virou-se para mim e disse:

– Espere-me no final, quero conversar com você, gatíssima.

Lourenço voltou logo.

– Patrícia, o moço não sabe que desencarnou, receberá também orientação.

– Puxa, que noite! Primeiro assusto, depois sou paquerada.

Não aguentei e dei uma boa risada.

20
No Centro Espírita

Quando estava para começar a reunião, Maurício veio buscar-me e fomos para o salão. Ficamos na parte direita de quem entra e sentamos. Esse espaço é reservado a visitantes desencarnados. Sentamo-nos em cadeira plasmada acima do solo material, e não nas cadeiras dos encarnados. Conhecia todos os encarnados presentes, foi prazeroso vê-los. Fiz a eles uma prece de gratidão, pelo muito que oraram por mim. Havia muitos desencarnados, trabalhadores, visitantes como eu, e os que iam ser orientados e socorridos. Estes últimos formavam filas que os trabalhadores do Centro organizavam para que tudo saísse a contento.

Vi o moço que conversou comigo na fila. Observava-me fixamente. Ao olhá-lo, ele sorriu e acenou a mão.

Maurício, vendo meu constrangimento, sorriu. De novo, não soube o que fazer. E, porque o moço continuava, também acenei, num tchauzinho. Ele ficou contente e, então, acomodei-me atrás de Maurício para que não me visse mais.

Um encarnado apresentou-se acompanhado de um desencarnado visivelmente atuado, e fazia perguntas sobre um assunto que o afligia. Para nós, desencarnados, aquele senhor possuía mediunidade.

– Todos os médiuns têm de frequentar um Centro Espírita?

– Todos nós somos livres para decidir o que queremos. Temos o nosso livre-arbítrio. Frequentam o Centro Espírita os que assim desejam, e só trabalham com a mediunidade os que querem ser úteis. O sensitivo precisa da assistência, da presença de amigos desencarnados. Essa é a razão de os médiuns normalmente precisarem frequentar um Centro Espírita. Esses amigos desencarnados são espíritos bons que nos ajudam na vida cotidiana. Eles vão aconselhar e evitar que zombeteiros e espíritos necessitados possam perturbar o sensitivo. Para que haja a ajuda, esses desencarnados, que são espíritos que querem crescer e trabalhar no bem, condicionam a companhia deles a esses trabalhos. Se esse médium não participa de um grupo, os desencarnados vão continuar participando e ajudando. Não vão parar só porque o encarnado não quer trabalhar, só que não vão ajudá-lo. Os espíritos dispõem-se a auxiliar o médium, mas lhe querem como companheiro, que trabalhem e cresçam juntos. Nos trabalhos de um Centro Espírita, ambos aprendem e evoluem, para participarem, do socorro a desencarnados e a outros encarnados.

O médium, não frequentando um Centro Espírita e não tendo a companhia de desencarnados bons para ajudá-lo, sofre as consequências de energias nocivas. Ou aprende pelo estudo e pesquisas a livrar-se deles, ou vai trabalhar na companhia dos bons desencarnados, fazendo o bem.

Todos nós devemos nos transformar e ajudar na transformação de outros para que sejam felizes um dia.

O médium não é obrigado a ir a um Centro Espírita, ele precisa disso para ser ajudado e aprender a ajudar. Para isso, não existe lugar melhor que o Centro Espírita.

Um frequentador do local, um encarnado querendo aprender, indagou a meu pai:

– Podemos tirar lições de perseguições que desencarnados ignorantes nos fazem? É certo querermos nos livrar deles? Tenho visto muitas pessoas que aqui vêm, resolvem seus problemas e não voltam mais.

Papai pensou rápido e respondeu:

– Muitas pessoas vão aos Centros Espíritas pedir ajuda para livrar-se de seus desafetos, como se fossem a uma loja buscar algo que querem para seu conforto. Outros o procuram, achando que estão fazendo favores aos seus laboriosos trabalhadores, e querem soluções. Esses encarnados não veem que, se algo está errado com eles, com seu bem-estar, isso acontece pela sua própria imprudência. Agindo em função do seu egoísmo, imaginam que estão sofrendo por erro alheio. Acham que não fizeram mal algum, e que Deus não faz mais que a obrigação em atendê-los. Aliviados, esquecem-se completamente do ocorrido e voltam a ser como eram antes.

Outros, ao depararem com a pressão maldosa dos desencarnados perturbadores, buscam o socorro. Sim, é certo buscar o socorro. Aliviados, param para pensar. Dois fatos lhes chamam a atenção: o mal-estar interior e o alívio. Compreendem que algo sutil, não visível aos sentidos, age ora prejudicando ora auxiliando. Baseados nessa compreensão, iniciam sua mudança para melhor.

Muitos trabalhadores encarnados de muitos Centros Espíritas, ao socorrerem um encarnado necessitado, são perseguidos por entidades maléficas, que podem investir contra eles. Mas em vez de se sentirem mártires do Bem, benfeitores do semelhante, aproveitam as chicotadas para aprimorar-se.

Eu, quando um perturbador não me pressiona, sinto falta, pois a pressão negativa que fazem leva-me a estar sempre vigilante com meus pensamentos e atitudes. Para não sofrer influências de estados inferiores, vou consolidando minhas atitudes no bom uso das coisas de Deus e da natureza. As dificuldades para uns são punição, para outros, oportunidades e estímulo para sua melhoria.

Outra pergunta foi feita por uma moça.

— Todo sofrimento é quitação de débito do passado ou sofremos também por outros motivos?

— Sofremos pelo débito do passado, mas nem sempre. É incontestável que o hoje é consequência do ontem. Mas também o hoje é causa do amanhã. Se as circunstâncias são adversas, se estou consciente de que posso transformá-las, elas ficam mais suaves. Oposição sempre teremos. Vamos lembrar de nosso gigante gênio espiritual, Jesus de Nazaré, que nos disse: "Vinde a mim, todos vós que andais sobrecarregados, e eu vos aliviarei".[14] Para o homem insatisfeito com o que Deus lhe deu, toda dificuldade se torna castigo, martírio. Já para quem procura compreender Deus, servi-Lo, amá-Lo, as dificuldades são oportunidades para superar-se.

Vou dar um exemplo bem comum em nosso dia a dia. É natural que uma pessoa que está suja se lave, se

---

14. Mateus, 11:28-30 (N.A.E.).

purifique. Para muitos o banho é um sacrifício. Há os que gostam de estar limpos, outros gostam de estar sujos. Para o indivíduo que está acostumado com a limpeza, a sujeira é um castigo. Para outros, tanto faz, pois gostam da imundície. Os que não gostam e estão sujos, incomodam-se. Nossos erros, vícios, são como a sujeira. Para estar limpo é necessário querer limpar-se. Mas, às vezes, queremos estar limpos, mas não queremos deixar as causas que nos sujam. Essa luta para nos limparmos muitas vezes nos traz sofrimentos. É como o alcoólatra, que gosta de beber, mas não gosta da ressaca: quer que lhe tirem o mal-estar, mas quer continuar bebendo.

Assim são muitos os que procuram a Casa Espírita e querem, pelo passe, eliminar o mal-estar da *ressaca*, dos seus erros, mas querem continuar no vício. Esse conflito é causa de muitos dos nossos sofrimentos.

Após, meu pai leu a Parábola dos Operários da Vinha.[15] E explicou:

– A maioria de nós, em diversas fases da vida, atende ao convite Divino para nosso aperfeiçoamento espiritual, em início tido como trabalho. Creem, procuram exercitar preceitos e leis divinas. Essas leis aprimoram a convivência dos seres humanos no seu convívio no dia

---

15. Mateus, 20:1-16 (N.A.E.).

a dia. Aqueles que se voltam para esse aperfeiçoamento são, nos dizeres da parábola, os assalariados. Esses crentes da bondade, do amparo Divino, dedicam sua existência ao exercício da fraternidade, da solidariedade e do amor prescritos pela sua crença, como pontos fundamentais que propiciam a chegada de uma nova era, em que os homens deixarão de se matar, de se explorar, de serem egoístas. Trabalham intensamente esse modo de viver, inspirados na promessa de Jesus, de que haverá um novo Céu e uma nova Terra.

Jesus sempre usou símbolos materiais para inocular neles um grande significado espiritual. A vinha simboliza o cosmo. O cosmo é a casa de Deus. Todos somos chamados a participar espontaneamente dessa vida comunitária, não em termos estreitos e egoístas, mas em posição totalitária. O fato é que somos filhos desse cosmo e como tais devemos agir. Mas, enquanto a consciência dessa filiação não acontece no interior do indivíduo, nós adiamos por mais ou menos tempo a nossa participação consciente nessa sinfonia universal.

Aí, então, dividem-se, como na parábola, diversas épocas em que nos colocamos à disposição do Divino para viver e usufruir de Sua vinha.

Mas, nesse documento cósmico que é essa parábola, vemos ainda, entre aqueles que estão a serviço do

Senhor, as diversidades de intenções. Todos os chamados, dentro do contexto da palavra, estão trabalhando, estão servindo ao Senhor. Mas a motivação difere entre uns e outros. Essa é a razão da queixa daquele que mais tempo esteve trabalhando. A personalidade egoísta que só trabalha esperando benefícios, pagamento ou uma posição de grandeza, mede o que tem a receber, seja em pagamentos seja em benefícios, pela extensão dos esforços que despendeu em proveito de seu Senhor. Pois esse homem virtuoso ainda não se concebe como herdeiro divino. Esse Senhor ainda lhe é algo separado. Ainda não faz parte do seu círculo íntimo. Portanto, o pagamento que espera é de acordo com as privações a que se submete, da ociosidade, sensações e prazeres.

A sua medida ainda está vinculada às comparações que faz com seus semelhantes. Esse homem ainda é escravo do tempo e do espaço, do muito e do pouco, do débito e do crédito. Mesmo exercitando a virtude, ainda não renasceu. Outros, com maior capacidade de compreensão, já não trabalham comparando ou esperando pagamento, seja este em forma de posses, prazeres seja de prêmios. Nem mesmo em função de posições espirituais.

Sabem e sentem-se filhos do Senhor. Ora, se são filhos, tudo o que é do Pai lhes pertence. Também, tudo o que é deles sempre foi do Pai. Trabalham por prazer, pois para que haja garantia de perfeição numa ação é necessário que ela seja feita com satisfação.

Suas atitudes são perenes, pois cuidam daquilo que lhes pertence. São os escolhidos.

Vejam, na parábola, os que chegaram primeiro queriam receber mais do que os outros. Como já dissemos, estão ainda no campo da quantidade e da posição social. Os segundos não se importam com o pagamento, pois tudo o que fazem é por amor, porque têm prazer em trabalhar na vinha do Pai, que é também deles.

As duas classes de homens estão trabalhando na vinha, mas diferem bastante uma da outra. É com base nessa diferença que vem a recompensa do Senhor. Aos egoístas, Deus lhes concede como pagamento o sucesso no plano físico e mental, em forma de posses, posições, satisfações físicas e mentais.

Aos desprendidos, Deus lhes concede Paz, Amor, Alegria e Felicidade imperturbáveis, pois não estão eles ligados nem ao tempo, nem ao espaço, nem ao pouco ou ao muito, mas sim a um estado de ser. São os filhos queridos do Pai, dos quais Jesus tanto fala.

Os que estavam na praça esperavam ser chamados para trabalhar. Mas os ociosos não se apresentaram na praça, para a tarefa. Estes são aqueles que não se preocuparam, diante do ciclo evolutivo, em devolver o talento que possuíam em estado embrionário. Não foram mais admitidos, porque o ciclo estava no seu final. Terão que recomeçar em outro local ou mundo.

Vejam, o Nazareno, há dois mil anos, já nos fez o convite. Está em nossas mãos participar ou não dessa vinha. Em trabalhar esperando o pagamento ou construir aqui e agora um novo Céu e uma nova Terra. Basta que queiramos. Trabalhemos!

21
Doutrinação

Após a prece, iniciou-se a doutrinação dos desencarnados. Apagaram-se as luzes para facilitar a concentração, evitando distrações visuais e proporcionando, assim, as projeções mentais que agiriam com mais facilidade no mundo astral.

  Encarnada, sempre gostei de prestar atenção nas doutrinações dos desencarnados. Cada um tem sua história e algumas são bem interessantes. Agora, presenciando a orientação, o socorro, do lado de cá, gostei mais ainda, é bem mais fascinante. Mas, ao ver muitos mutilados, muitos com sinais de torturas, fiquei um pouco apreensiva. Era um grupo que fora libertado do Umbral pelos trabalhadores do Centro, e lá estavam presos como escravos. Alguns estavam abobalhados, observei-os e senti dó. Maurício disse-me baixinho:

– Patrícia, nada é injusto. Colhemos o que plantamos. A reação é de conformidade com a ação. Pelo menos dois desses espíritos devem falar, pela incorporação, um pouco de suas vidas. Verá que ignoraram os ensinamentos de Jesus e viveram, quando encarnados, para os prazeres, para a matéria e prejudicando o próximo. Dois deles foram feiticeiros ou macumbeiros, fazendo o mal por dinheiro. Usaram desencarnados como empregados, estes os serviram, mas depois a situação se inverteu, e foi a vez de eles os servirem. Todos vão ser socorridos, curados e levados para recuperação no hospital da Colônia.

Muitos dos necessitados se utilizariam da incorporação, entre eles muitos não sabiam que haviam desencarnado. Normalmente, ao comparar suas situações, o desencarnado com o encarnado, compreendem que o corpo físico morreu. Quando nós, desencarnados, chegamos perto de um encarnado, notamos logo a diferença, a não ser que estejamos completamente iludidos e, não querendo aceitar a realidade, fingimos não perceber. Comparando-me com um encarnado, sinto-me leve, solta, pois o perispírito é um corpo muito mais delicado e sutil do que o material.

Maurício, sabendo o que eu pensava, aproveitou para esclarecer:

– Em Centro Espírita onde o Bem é a meta, a incorporação é feita para ajudar. O desencarnado necessitado de auxílio recebe orientação e cura nesses trabalhos de caridade. A percepção de estar ou não encarnado é essencialmente mental. Como há o medo da morte, do desconhecido, o desencarnado mantém-se iludido de que ainda está no corpo físico. Mas há espíritos que conhecem seu estado e gostam de incorporar. São os que ainda não se realizaram espiritualmente. O corpo mental encontra prazer nas necessidades físicas. São os que necessitam de uma orientação séria e honesta. Mas enquanto não a recebem, a maioria não quer nem receber nem mudar, incorporam em médiuns invigilantes, sem estudos, que não frequentam lugares que seguem a orientação de Kardec. E fazem isso porque, incorporados, sentem florescer instantaneamente todos os desejos mundanos. Em muitos casos, fazem até certos favores aos encarnados.

– Puxa! Não pensei que existissem desencarnados que gostassem de se sentir no corpo carnal!

– Os que idolatram a matéria, e gostam somente do prazer, e não da dor que o corpo possa sentir, gostam de incorporar. Mas, prestemos atenção agora, as doutrinações começaram.

Dois do grupo de escravos, que tanto me impressionou, foram os primeiros a receber ajuda pela incorporação. De fato, falaram um pouco de si. Fizeram maldades e, tendo oportunidade, não fizeram o bem nem aos outros nem a si mesmos. Esse bem a si mesmo significa que tiveram oportunidade de aprender, de se instruir moralmente, religiosamente, e não o fizeram. Viveram, encarnados, sem se preocupar com a desencarnação, sem pensar que seriam obrigados a colher do que plantaram. Todos do grupo tiveram o perispírito recuperado, curado, e ficaram numa outra fila para serem levados para a Colônia.

Fiquei mais aliviada ao vê-los livres do sofrimento, e desejei de coração que se recuperassem espiritualmente. Que a dor tivesse conseguido ensiná-los e que se voltassem realmente para Deus, afastando-se do mal.

O senhor que tinha se assustado comigo, foi esclarecido e recebeu por meio dos médiuns, orientações e, preocupado com suas dores, esqueceu que me viu. Numa comparação de seu corpo com o dos encarnados, entendeu sua situação. Foram também socorridos muitos espíritos que estavam com o perispírito lesado e necessitavam se harmonizar. Estes lesados eram os que se sentiam, como encarnados, todas as suas doenças. A impressão é forte e o não entendimento da desencarnação faz com que continuem doentes. Em outros, o remorso destrutivo levou-os a lesar o perispírito. Como são imprudentes a maioria dos encarnados! A morte do corpo não parece ser para eles; quando desencarnam e sofrem, desesperam-se e perturbam-se.

  O moço com quem havia conversado antes ficou na fila. No começo parecia divertir-se, mas depois se comportou educadamente. E, prestando atenção nas orientações que os outros desencarnados recebiam, começou a chorar baixinho. Inteligente, entendeu logo que tinha desencarnado. Lourenço veio em sua ajuda, abraçou-o e mimou-o como um nenê. Amparado, recordou como seu corpo físico morreu. Teve medo. Que seria dele? Lourenço mostrou-lhe o lugar para onde iria, seria levado para a escola na Colônia. Tranquilizou-se e adormeceu. Foi levado para outra fila, pois não precisaria de incorporação.

  Ainda bem, não pude deixar de pensar, não deve ser agradável estar desencarnado e agir como encarnado. Infelizmente sei que acontece isso com a maioria. A desencarnação é natural e para todos. Quando o corpo morre, a maioria sente-se perdida e perturbada. Pior ainda quando não fez boas ações, e terrível quando se praticou muitas ações más. A desencarnação não muda muito o modo de vida que se tinha quando encarnado. Quem cultua a matéria a ela fica preso, quem entesoura bens espirituais é um bem-aventurado no plano espiritual. Não se deve viver encarnado só pensando na morte, mas também não se deve ignorá-la. Não pensar na morte para si, e não entender que seja normal esse fato acarreta muitas perturbações, porque sendo o perispírito cópia exata do corpo, sentem-se as mesmas necessidades, até entendê-las e superá-las. Aquele moço achou ali, no Centro Espírita, o entendimento. Com os outros, seria levado à Colônia onde aprenderia a viver como desencarnado. O medo que teve foi do desconhecido. Do que seria dele. Em muitos é forte a ideia do inferno. Ao entender que não é tão complicado, o medo passa e vem a esperança.

  Um homem desencarnado, que estava na fila para receber orientação, chamou-me a atenção. Estava imóvel, duro, sem se mover. Ao ser colocado perto de uma médium, recebeu de um dos trabalhadores desencarnados uma carga magnética e, também, sentiu o calor do corpo da médium. Sentia dores por todo o corpo, mas devagar conseguiu mover alguns músculos. Alegrou-se por isso e, com ajuda do orientador encarnado, conseguiu responder à saudação.

  – Boa-noite!...

Vencendo as dificuldades, foi conseguindo falar. Quando encarnado fora orgulhoso, senhor de muitos bens, sua vontade era lei. Cometeu muitos erros. Gostava muito de si mesmo, de sua imagem, era forte e arrogante. Mandou fazer uma estátua sua. Realmente o artista a esculpiu muito bem. Ficou linda. Foi colocada em uma praça para que fosse lembrado como benfeitor que fora. Porém, sempre há um porém, a morte veio destruir seus sonhos e ilusões. Desencarnou por um infarto. Não se conformou, queria estar encarnado. Inimigos perseguiram-no por anos e, aos poucos, foram abandonando-o. Mas o tempo passou e tudo mudou, sua casa, suas terras. Só a estátua continuava lá. Então, ficou ao seu lado, até que fez dela seu escudo, como se fosse seu corpo. Colou-se a ela. Sentiu seu corpo endurecer e não conseguiu mais se mover nem falar. Só escutava e via o que estava à sua frente. Já fazia sessenta anos que desencarnara.

O orientador pediu para que rogasse perdão ao Pai e se propusesse viver conforme as lições do Mestre Jesus. Ele o fez com sinceridade. A dor cansou-lhe e não tinha mais nenhuma razão para ter orgulho.

Foi caminhando, embora apoiado por um socorrista, para a fila dos que seguiriam para a Colônia, onde iria para um hospital. Chorava, suas lágrimas corriam abundantes fazendo-lhe bem.

O orgulho e a arrogância são duas chagas que acabam por sangrar, trazendo muitos sofrimentos.

Com grande proveito, encerraram-se as doutrinações. Todos os socorridos foram conduzidos ao aeróbus para serem transportados à Colônia. Esse fato é comum na maioria dos Centros Espíritas, mas pode acontecer de os socorridos serem levados a Postos de Socorro ou, em outros Centros, a locais de amparo e socorro, pequenos hospitais nesses mesmos Centros Espíritas.

Foi feita a Prece de Cáritas e de encerramento. Os trabalhadores desencarnados do local jogaram fluidos, energias benéficas, sobre os presentes. Maurício novamente elucidou-me:

– Os encarnados, e mesmo grande parte dos desencarnados, ainda não vivem a fé, a fidelidade a Deus, porque, se assim fizessem, cada indivíduo seria um polo dinâmico de energias balsamizantes, harmoniosas e curativas. Mas como ainda não chegamos a isso, há no final da reunião uma união mental dos responsáveis por este local, consequentemente eles projetam energias mentais saturadas de luz, paz e afeto, enchendo o ambiente e as pessoas de vitalidade. Esclareço que essas energias só permanecem quando sustentadas por quem as emite. Apesar de todo o ambiente estar assim saturado, só se beneficiam dele aqueles que, por meio do sentimento afetivo, sintonizam-se com essas vibrações de amor e de afinidade espiritual.

Esses fluidos, energias, são maravilhosos, fazendo muitos desencarnados chorarem emocionados. Parece uma chuva fininha e colorida a cair do teto, iluminando suavemente o local, com aroma agradável. Concentrei-me e abri meu coração para recebê-los. Por segundos senti-me molhada, senti a luz entrando nos meus poros. É uma alegria indescritível.

A reunião terminou e acenderam as luzes. Os encarnados conversavam amigavelmente. Aproximei-me de minha mãe e a beijei; e, depois, papai. Saíram todos, apagaram as luzes e fecharam o local. Mas não ficou escuro no Plano Astral, o trabalho continuaria por muitas horas. Minutos depois, Maurício chamou-me para voltarmos à Colônia, ainda não sabia volitar até lá sozinha. Lourenço acompanhou-nos. Para sair da Colônia, os internos necessitam de autorização. Os que já têm conhecimento e trabalham são chamados de moradores e também necessitam dessa autorização. Só transitam sem ela os que trabalham nos dois planos, na Crosta e na Colônia. Todas as minhas vindas ao plano físico eram com permissão e, só depois de muito tempo, é que pude vir sozinha. As Colônias são lugares seguros, de paz, saturadas de energias edificantes. Entre os encarnados, as energias são heterogêneas e podem ser perigosas para alguns desencarnados despreparados.

Estava feliz. Queria aprender a ser útil, sabia que não bastava só a vontade para servir, necessitava saber. Sempre amei o Centro Espírita, a Doutrina Espírita. Ter assistido a uma reunião proveitosa alegrou-me mais ainda. Olhando o firmamento com suas inúmeras estrelas, agradeci a Deus. Tinha muito que agradecer e nada a pedir, mas roguei: "Pai, alimenta minha vontade de aprender e de ser útil".

Volitar é tremendamente agradável...

22
Hospital

Visitei o Laboratório onde nosso amigo Antônio[16] trabalha. Ele é um estudioso e pesquisador. O Laboratório (assim o chama) é um lugar de estudos, grande e muito bonito, onde fazem remédios. São medicamentos que colocam em água para tratamento de desencarnados e encarnados. Fica na parte dos fundos do hospital da Colônia São Sebastião. Normalmente, todas as Colônias têm essa parte laboratorial. São seis os estudiosos que trabalham lá. Antônio tem o maior carinho e orgulho desse recanto. Recomendou-me ao entrar:

---

16. Antônio é um dos personagens do livro *Reparando Erros*, de Antônio Carlos (N.A.E.).

— Menina Patrícia, preste atenção e não esbarre em nada.

Mostrou-me tudo. Eles pesquisam novas fórmulas de remédios. Quando os visitei, estavam empenhados na pesquisa de um tratamento mais eficaz para desintoxicar desencarnados dependentes de tóxicos. Os viciados socorridos ficam numa ala do hospital perto do Laboratório.

Antônio e seus colegas trabalham e estudam muito. Amam o que fazem. E muitos encarnados pensam que os desencarnados não trabalham, nem estudam ou pesquisam. Como Deus é misericordioso, não dando aos desencarnados a ociosidade.

— Antônio – indaguei –, esses remédios só servem para desintoxicar os desencarnados?

— Estamos pesquisando para esse fim. É triste ver esses irmãos sofrerem. Mas nada nos impede de estender também a ajuda a encarnados intoxicados.

— E aí, como farão para que os encarnados tenham esse tratamento?

— Bem, sempre que descobrimos um remédio, uma nova fórmula de tratamento, podemos passá-la a encarnados estudiosos e afins. Também os socorristas que trabalham em ajuda a viciados podem administrá-la a eles.

Fiquei fascinada com esse local de estudo e pesquisas.

Conheci também o lar de Antônio Carlos, ou o seu recanto, como o chama. Ele gentilmente me levou. Mora em outra Colônia tão bonita e agradável como a de São Sebastião. Aliás, todas as Colônias são lindas! Mora com uma de suas filhas, numa casa muito bonita. Recebeu-nos festivamente.

— Papai não para aqui – disse Neuzeli. – Diz que mora, mas vem só a passeio.

Sorrimos alegres.

O recanto do Antônio Carlos é um quarto na casa, que tem uma estante abarrotada de livros, uma escrivaninha, uma cadeira e um pequeno sofá.

— Aqui escrevo a maioria dos meus romances – explicou. – Venho aqui quase só para escrever.

— Você não escreve também na Casa do Escritor?[17]

— Sim, tenho lá também uma sala que utilizo. Tenho muitos afazeres, graças a Deus.

Antônio Carlos é uma pessoa estimadíssima, alegre, instruída e simples. Foi um passeio agradabilíssimo.

Visitei o hospital com Maurício. Ele foi trabalhar e me levou. Hospital é sempre hospital: não é lugar de alegrias, também não é de tristezas, mas de esperança. É

---

17. *A Casa do Escritor* é uma pequena Colônia dedicada à literatura construtiva (N.A.E.).

grande, enorme. Os hospitais das Colônias são normalmente assim. Nas grandes, há vários hospitais localizados em alguns de seus ministérios. Nas médias e menores, normalmente há só um hospital, mas sempre grande, os imprudentes são muitos. Nas Colônias, seus governantes dão muita atenção ao bem-estar, à saúde espiritual de todos os seus abrigados. Governantes? Sim, porque em todos os locais, até no plano espiritual, há alguém responsável que oriente e administre para o bem-estar de todos.

É sempre bom visitar um hospital, seja no plano material seja espiritual. Passamos a entender melhor e a ver o devido tamanho dos nossos problemas, e a despertar em nós a necessidade de fazer algo em favor dos que sofrem.

Maurício ama o hospital, hospitais são o lar dele.

O hospital para crianças está na parte do Educandário e é muito bonito e simples, além de grande. Nele ficam crianças e jovens em recuperação. Normalmente não trazem enraizadas doenças, e os reflexos neles são mais fracos. Logo estão bem.

O hospital que visitei é para adultos e só conheci a parte destinada aos doentes que estavam melhor. Maurício disse-me que ainda teria muito tempo para conhecer todo o hospital, portanto o restante ficaria para nova oportunidade. Ao seu redor havia jardins e canteiros floridos, com bancos confortáveis, onde os internos em recuperação passeavam e conversavam.

— Maurício, você mora aqui?

— Não, tenho meu cantinho na Terra, no Posto de Socorro do Centro Espírita. Trabalho lá e aqui.

A frente do hospital é muito bonita, possui grandes pilares. É pintado de branco e bege-claro.[18] Na entrada está a recepção. Ali é informado todo o andamento do hospital, desde onde se acham os trabalhadores e quem são os internos.

Possui muitas dependências, partes ou alas, como são tratadas nesta Colônia, e os pavilhões. Digo nesta Colônia, porque as designações variam, conforme o local. As alas são divididas e designadas por letras e números. A, B, C, 1, 2, 3... Na ala direita, nos fundos, estão as moradias de alguns de seus trabalhadores. As enfermarias são salas grandes, bem ajeitadas e com banheiros; nem todas têm o mesmo tamanho, umas são maiores, outras menores. Existem enfermarias masculinas e femininas.

---

18. As Colônias e Postos de Socorro têm seus prédios pintados diferentemente do plano físico. Após serem plasmadas, as cores não desbotam ou envelhecem. Tudo continua novo, sustentado por aqueles que as plasmaram. Só mudam de cor se, por algum motivo, o querem. As Colônias têm seus prédios com cores claras, mas nem todos têm as mesmas cores, como também se diferenciam por todo o plano espiritual (N.A.E.).

Depois da recepção, há o Salão de Orações ou Prece, onde internos oram independentemente da religião que tiveram quando encarnados. Nele há somente cadeiras confortáveis, e suas paredes são brancas e sem adornos. Na frente há uma parte mais alta, onde, em certas horas do dia, orientadores fazem orações em voz alta. Muitos internos imaginam nessa parte mais elevada em cerca de dez centímetros, altares, imagens, oratórios etc. de que gostam e onde costumavam orar. Existe ali quantidade muito grande de fluidos salutares, beneficiando os que oram. Na frente do Salão de Orações, há uma pequena biblioteca que os internos podem frequentar. Os trabalhadores do hospital oferecem aos internos livros doutrinários e, também, O *Evangelho* para os que querem ler.

Os internos atendidos, infelizmente, são muitos, e dependerá deles mesmos o tempo que lá permanecerão.

Segui Maurício, que ia explicando o que havia em cada ala. Entramos numa enfermaria. Ouvia-se o zum-zum-zum. Conversavam entre si. Quando entramos, todos se calaram e olharam amorosamente para ele, que, com carinho e atenção, foi de leito em leito. Conversava, sorria, animava e esclarecia. Fiquei ao seu lado só observando. Quando saímos da primeira enfermaria, indaguei:

— Por que pararam de conversar com sua chegada?

— Talvez por saberem que lhes dou atenção e carinho. Por que você não tenta me ajudar?

— Vou tentar. Maurício, o hospital recebe muitas visitas?

— O hospital recebe visitas de grupos de estudos e de pessoas como você, que querem conhecer e aprender. Os internos também são agradecidos pelas visitas. A maioria deles as recebe, em dias e horários próprios, de amigos e parentes, e lhes são muito agradáveis.

A enfermaria seguinte era feminina. Pus-me a ajudar, ajeitei-as no leito e indaguei como estavam. Só por terem alguém com quem falar de suas mágoas e queixas, sentiam-se melhores. Fui com Maurício a cinco enfermarias. Cansei-me. Pela primeira vez na Colônia senti-me cansada.

— Patrícia, agora chega – disse Maurício. – Por hoje ajudou muito. Orgulho-me de você. Logo estará descansada. Desprendemos muita energia ao lidar com os necessitados. Vá para casa, alimente-se e faça exercícios para recuperar as energias.

— Você não se cansa?

— Não, tenho muitos anos de prática e muitos conhecimentos a mais que você. Aprenderá com o tempo. Você, como já disse, ajudou bastante.

Sabia que Maurício estava sendo gentil, mas fiquei contente. Ele acompanhou-me até a saída e voltou, pois ainda tinha muito o que fazer lá.

Sempre que fazia algo de útil, ficava alegre. Pensei: "Se papai souber, ficará contente e mamãe achará o máximo". Voltei devagar, apreciando as ruas e as pessoas que por elas transitavam. É tão bonito, agradável andar pela Colônia! Cheguei em casa e já estava descansada e sentindo-me muito bem.

No outro dia, iria a uma reunião da escola onde trabalhava. Era trabalho que me enchia de alegria. Falar com os amigos com quem trabalhava dava-me segurança e contentamento.

Estava curiosa para saber de que trataria a reunião.

23
Férias

A reunião foi na escola, na sala de palestra. Os professores estavam presentes no horário marcado e d. Dirce presidiu a reunião. Ela orienta somente a parte da escola que alfabetiza. Sempre tão amável, cumprimentou-nos sorrindo.

– Boa tarde! Estamos no término do ano letivo e iremos, como todo ano, fazer uma festinha para os que terminaram o curso.

Todos os cursos da Colônia têm tempo certo para terminar. A maioria segue o calendário dos encarnados. Falando em calendário, aqui temos horário, dia, ano, tudo como os encarnados. As Colônias e Postos de Socorro seguem a marcação do tempo igual à do espaço físico a que estão vinculados. Exemplo: numa Colônia na Europa, no espaço da Áustria, o horário será igual ao desse país, ou seja, a Colônia está no espaço espiritual e a Áustria, no espaço físico. A Colônia São Sebastião segue o fuso horário do Brasil, da cidade de São Sebastião do Paraíso. Quando são duas horas na cidade física, são duas horas na Colônia. Aqui seguimos horários para tudo, e são obedecidos. Para ter ordem é necessário disciplina. Há horários para turnos de trabalho, para estudo etc.

  Os cursos começam no início do ano e, normalmente, terminam no final dele. Raramente se faz num ano somente o curso de alfabetização. Para os que querem somente ler e escrever, um ano de estudo basta, mas, normalmente, é feito em três anos, nos quais os alunos recebem conhecimentos equivalentes ao primeiro grau. No entanto, há os que têm mais dificuldades para aprender e demoram mais tempo. Concluem o curso os que querem, mas só em casos especiais não o terminam. Os que o fazem têm muitas opções, podem continuar a estudar ou dedicar-se a outras tarefas, contribuindo com mais horas a um trabalho útil. Todos os alunos trabalham. Trocamos ideias sobre a melhor maneira de ensinar. E, em rápidos comentários, foram programadas as festividades. Dona Dirce, continuando a reunião, disse:

  – As férias aproximam-se e vamos pensar no melhor modo de aproveitá-las.

Fiquei espantada e acho que demonstrei, mas, carinhosamente, d. Dirce explicou, dirigindo-se a mim, a novata do grupo:

— Patrícia, é a primeira vez que você colabora conosco, os outros estão há mais tempo aqui. Temos conhecimento de que você não deverá voltar no próximo ano; sentimos, mas sabemos que irá aprender em curso como é viver no plano espiritual. Agradecemos sua colaboração e esperamos que tenha gostado de trabalhar conosco. Temos férias, ou períodos de descanso. Os trabalhadores têm um período, após certo tempo de atividade, para descansar ou cuidar de problemas pessoais. Enfim, para dedicar-se ao que quiser. Temos férias como os encarnados, mas nem tanto. Normalmente são períodos de duas semanas, no máximo três, ou poucos dias. Tanto os alunos como os professores da escola têm férias no período do Natal. Para os alunos, é um período de descanso após uma etapa de estudos. Também todos os anos há a festinha para os que concluíram o curso. Nós, os professores, merecemos as férias, embora eu saiba que nenhum de nós fique sem fazer nada. Aproveitamos para visitar familiares encarnados e desencarnados, participamos de socorros extras a irmãos que sofrem. São poucos dias, pois reiniciaremos o trabalho na segunda semana de janeiro.

— Não gostaria de ficar sem fazer nada, trabalho há tão pouco tempo – falei.

— Se você, ao terminar as aulas, quiser trabalhar, peça orientação de amigos – d. Dirce aconselhou. – Porém, se quiser aproveitar as férias, verá como o Natal é lindo na Colônia. Mas o motivo também desta reunião é a avaliação dos alunos, vocês vão avaliá-los conforme o aproveitamento de cada um, para que possamos separá-los em grupos para melhor aprendizagem.

A reunião foi realizada com grande aproveitamento. Quando saí da escola, fui conversar com Frederico e comentei:

— Frederico, não pensei que desencarnados tivessem férias.

— Nem todos têm, eu nunca as tive. Não preciso, trabalhar faz parte de mim. Mesmo de licença, como agora, procuro ser útil. Mas todos os que trabalham têm direito a um descanso. Os orientadores das Colônias organizam os trabalhos, de modo que todos tenham um período livre para descansar. Esse período é livre para fazer o que se quer, dentro das normas da Colônia. Muitos passam com os entes queridos encarnados ou desencarnados, vão visitá-los e muitos os ajudam. Como também podem dedicar-se a outras tarefas ou visitar outros locais. Para os novatos na Colônia, as férias são importantes, principalmente aos jovens. Ajudam na sua adaptação.

— Não quero ficar sem fazer nada nesse período. Mas não sei o que fazer, ou o que posso fazer.

Frederico sorriu.

— É bom que aprenda a fazer muitas coisas, para dedicar-se no futuro pelo que possa ser mais útil a você e aos outros.

Quase não dormia, por isso tinha muito tempo. Pedi a Frederico:

— Não posso ajudá-lo por mais tempo?

— Sim, alegro-me por tê-la ao meu lado.

— Será que poderei ser realmente útil?

— Quando queremos, somos — respondeu animando-me.

A escola amanheceu em festa no dia marcado para as festividades de encerramento. A entrega dos certificados foi à tarde, com uma alegria sincera. O diploma não significava um comprovante, porque o que interessa realmente é o que se aprende. Mas não deixa de ser uma conquista e os que receberam estavam felizes.

Agradeci aos colegas e à d. Dirce pelo carinho, atenção e ajuda que recebi no pouco tempo que ali estive.

Conversei muito com d. Dirce, e ela disse-me que visitaria os familiares e se uniria, depois, a um grupo de trabalho junto a drogados.

— Nas minhas férias — completou — faço sempre esse trabalho. Aqueles que se perdem no vício são os verdadeiros escravos, necessitados de liberdade. Gosto muito de colaborar nesse socorro, mas é ensinando que me realizo. Amo ensinar.

— Também gosto — respondi — mas estou mais interessada em aprender. D. Dirce, sou muito grata à senhora. Obrigada por tudo.

O coral infantil veio brindar-nos com lindas canções natalinas e alguns salmos. Estavam vestidas iguaizinhas, de amarelo clarinho, todas lindas, pois não há crianças feias, aqui são todas saudáveis e felizes. Gostam de cantar, encantam quem as escuta. São tão alegres que irradiam felicidade.

Lúcio, um de meus alunos, aproximou-se e entregou-me um poema que havia feito. Era simples, exaltava o mestre e a alegria de aprender. Agradeci comovida.

— Patrícia — disse ele —, encarnado fui um doente mental, um excepcional. Há tempos desencarnei, fui socorrido e, aos poucos, fui me recuperando e passei a trabalhar, a fazer pequenas tarefas. Os orientadores insistiram para que estudasse e, há pouco tempo, interessei-me em aprender. Envergonhava-me de minhas dificuldades, pois, quando encarnado, escutava muito que era burro, sem inteligência. Sofri bastante, tive muitas dores, fui desprezado, passei fome, frio e fui muito doente. Desencarnei adulto. Aqui é tão diferente! Amo a Colônia! Sinto que não fui deficiente em outras existências. Mas não quero recordar o passado, pois tenho medo dele. Os professores disseram-me que sou como um fruto verde, não estou preparado, pronto para recordar o passado. Realmente, não quero. E, por não querer, tenho que aprender novamente e agora faço isso com gosto.

Lúcio afastou-se, fiquei a pensar. D. Dirce, que se achava perto, vendo-me pensativa aproximou-se.

— Por que está tão pensativa?

— Lúcio contou-me que, quando encarnado, foi um excepcional. Sente que foi inteligente, mas não quer recordar o passado, preferindo aprender de novo.

— Patrícia, nenhum encarnado é deficiente mental sem motivos. E os motivos são vários. Lúcio, temendo o passado, não quer recordá-lo. Essas deficiências devem ter origem no abuso de uma inteligência brilhante. Por isso, aqui se tem o cuidado de não fazer da recordação do passado um sofrimento e um empecilho ao crescimento espiritual. O passado passou, não há como o mudar. Construímos o presente e o futuro. Se Lúcio quisesse recordar, o departamento que ajuda muitos a fazê-lo iria estudar seu caso, e só permitiria se fosse para seu próprio bem, porque muitos são imaturos para isso. Recordando seu passado, se fosse instruído, lembraria e teria seus conhecimentos.

— Mas ele tem dificuldades para aprender.

253

— Ele ainda não conseguiu se livrar por completo de sua deficiência. Mas está aprendendo, não só se instruindo, pois as lições evangélicas fixam-se em sua mente, fazendo-o reeducar-se.

Meus alunos presentearam-me com abraços, agradecimentos e com um buquê de flores. Fiquei emocionada. A festa foi linda!

O Natal aproximava-se e sempre representava festa para mim, embora papai sempre nos alertasse que datas não representam nada e que o Natal passou a ser, para a maioria, uma festa material.

Era a primeira vez que passava o Natal desencarnada e estava curiosa.

24
Natal

Aproximava-se o Natal e sabia que minha família sentia minha falta, a saudade doía. Datas são guardadas para ter saudades. As épocas de festas, em que a família se reúne, são marcadas por lembranças afetivas. Recebia muitas orações, recados e incentivos para que fosse feliz. Era e sou feliz. Pensava nesse fato, quando Maurício veio visitar-me.

– Maurício, sou feliz. Mas os meus familiares sofrem de saudade. É justo? Às vezes penso que não devo ser tão feliz – disse.

Meu amigo sorriu.

– Patrícia, você é muito querida e amada. A saudade existe e existirá, mas o tempo a suavizará. O que eles desejam a você?

— Que seja feliz!

— Você, sendo feliz, está fazendo a vontade deles. Não é egoísmo. Se faz o que eles pedem, acabarão fazendo o que você lhes deseja: que não sofram e que estejam bem. Muitos como você parecem sentir uma pequena culpa por estarem bem, enquanto os entes queridos não. Entretanto, não se pode pensar assim. Deve, sim, procurar estar cada vez melhor, aprender, saber, só assim se tornará apta a distribuir alegrias. Só quem aprendeu a amar irradia Amor e Paz.

O Natal na Colônia é lindo! Jovens e crianças organizam recitais, danças, palestras, encontros para conversar e ouvir música. Tudo isso para que ocupem o tempo e não sintam saudade dos encarnados, e assim se distraem suavizando suas próprias lembranças.

O grupo de jovens organizou visitas a outras Colônias e convidou-me. Aceitei contente. Iam apresentar uma peça de teatro e cantar. Estavam animados e faziam teatro como amadores, embora, às vezes, houvesse os que tinham talento de artista. Sempre apresentam peças bonitas, sadias, que trazem ensinamentos profundos. Muitas das canções apresentadas são conhecidas dos encarnados, principalmente as natalinas. Outras, lindíssimas, são de compositores do plano espiritual. As crianças e os jovens têm seus corais e estão sempre apresentando-se em festividades da Colônia e, quando convidados, vão a outros lugares. Fazem muito sucesso, pois apresentam-se muito bem. A música é uma grande terapia. Adultos também podem participar de corais, de grupo de músicos, como também fazer teatro.

Fomos de aeróbus, bem devagar, numa viagem deliciosa. A Colônia vizinha, como todas, é muito bonita. Fomos recebidos com alegria. Após a apresentação, ficamos a conversar, trocando ideias. Gostei muito do passeio.

Em nossa Colônia, há uma praça grande, com canteiros em formato de corações com flores azuis e brancas, miúdas, de agradável aroma. No centro, existe um palco redondo, onde corais costumam apresentar-se, e há também bancos confortáveis, sendo alguns de balanço. Chama-se Praça da Consolação. Indaguei a Frederico o porquê do nome.

– Quando a Colônia foi planejada, a praça foi feita para que os habitantes se reunissem em recreação. Mas muitos desencarnados saudosos vinham aqui para se consolar. Daí o nome.

Um grupo de jovens estrangeiros, da Itália, veio visitar-nos. Apresentaram-se na praça, presenteando-nos com lindas canções em italiano. Foi um sucesso.

– Pensei – disse a Lenita – que iria entender tudo o que cantassem.

— Entender pelo pensamento é para espíritos que sabem. Os que se afinam perfeitamente entre si conseguem transmitir pensamentos. Com a mente fazemos muito, mas necessitamos saber. O pensamento tem uma só forma, mas são poucos os desencarnados que sabem usar esse modo de comunicação. A maioria tem de conhecer o idioma. Todas as Colônias têm cursos de esperanto, na tentativa de melhorar a comunicação entre todos.

— Quero aprender esperanto e transmissão de pensamento. Vou marcar na minha lista.

Rimos felizes. Minha lista já estava enorme. Tenho um caderninho em que marco tudo o que quero aprender e os cursos que quero fazer. Muitos já fiz, e outros ainda farei com a permissão do nosso Pai Maior. O esperanto é bastante divulgado no plano espiritual, todas as escolas têm esse curso, como também há muitos livros e intercâmbio desse idioma entre as Colônias, por toda a Terra.

Os organizadores da Colônia planejam longa programação nessa época do Natal. Na praça, todos os dias há apresentações de peças teatrais, corais, músicas, tudo muito alegre. O Educandário fica todo enfeitado, montam presépios, enfeitam árvores com luzes e bolas coloridas, lembrando os enfeites dos encarnados. Tudo é feito para alegrar as crianças. Trabalhadores vestem-se de palhaço, há jogos, danças e a criançada se diverte.

Não há trocas de presentes, mas votos sinceros de harmonia e paz.

Cada ano, na época de Natal, há um ensinamento como objetivo. Neste ano foi: "A importância de Jesus ter encarnado na Terra". Colocaram algumas faixas com esses dizeres pela Colônia, como também saudando os moradores e hóspedes. Por toda a Colônia há palestras sobre o tema deste Natal. É muito bonito, educativo e emocionante.

"Já pensou se Jesus não tivesse encarnado entre nós?"

Fui muitas vezes ao Educandário com Lenita e lá nos encontrávamos com Ana. O local é grande e nessa época fica mais bonito ainda, seus parques ficam enfeitados e seus orientadores procuram organizar muito lazer e distrações, quase todos ao ar livre. Conversávamos muito, nos reuníamos em grupos, trocando ideias sobre as palestras ouvidas. Quando Lenita via algum jovem triste, isolado, ia até ele e me arrastava junto. Aproximávamo-nos alegres e nos apresentávamos. Como sua conversa era agradável, logo o jovem se entusiasmava e o levávamos para uma turma.

A Colônia fica, nessa época, muito movimentada. Encontrei muitos conhecidos e a conversa "rolou"...

Vi meus familiares várias vezes pela televisão.

O Natal passou em festa, embora os trabalhadores se desdobrassem em tarefas, pois em todas as épocas de festas de encarnados, sempre há muitos abusos. A passagem do ano aqui é mais simples. A maioria faz votos de renovação. Com alegria, cumprimentam-se desejando alegrias e esperança. Logo após o primeiro dia do ano, tudo o que recorda o Natal é retirado e as atividades voltam ao normal.

Meu primeiro Natal no plano espiritual foi de muita alegria. Como pode alguém sentir tristeza comemorando um nascimento como o de Jesus, sabendo da enorme importância que seus ensinamentos têm para nós todos?

25
Sentindo as dificuldades

Visitei, com Maurício, meus pais. Ao chegar em casa, assustei-me, pois ao lado de minha mãe estava um espírito perturbado, maldoso, feio, sujo, com cabelos e barba crescidos, olhos verdes grandes e olhar cínico. Tentava incutir na minha mãe a ideia de que eu sofria. Falava rindo, olhando-a fixamente: "Patrícia sofre no Umbral. Está infeliz, sua filha. Chora chamando por você. Que lhe valeu ser boa, ser espírita? Isso não impediu que ela morresse. Ela sofre!"

– Ora – falei indignada –, que maldoso!

Achei que Maurício fosse retirá-lo, porém meu amigo não fez nada. Olhei suplicando, sem nada pedir.

– Patrícia, nós, desencarnados, não podemos fazer o que compete aos encarnados, mesmo os amando demais. Sua mãe sabe lidar com esses irmãos infelizes. Ele fala-lhe, mas escuta também. Ela pode responder e orientá-lo ou simplesmente não lhe dar atenção.

– Não posso ajudá-la?

– Você sabe?

Senti-me impotente e desejei mais do que nunca aprender. Pensei por segundos, só sabia neutralizar forças nocivas com orações. Era o bastante. Concentrei-me e orei com fé para aquele irmão. Ele inquietou-se e saiu rápido da nossa casa. Aproximei-me de mamãe e falei-lhe:

"Mamãe, sou feliz! Não dê atenção àqueles que a querem perturbar. Amo você!"

Mamãe sentiu-se bem e foi com alívio que senti seu pensamento: "Patrícia está feliz! Não vou mais pensar o contrário".

– Ele voltará? – indaguei a Maurício.

– Acho que sim. Se voltar, sua mãe é livre para escutá-lo ou não. Confiemos no seu bom-senso.

Fomos ver meu sobrinho. Ele estava adoentado, não dormira à noite, sentia os fluidos nocivos de encarnados e desencarnados. Como criança é sensível, ele sentia muito. Por momentos, fiquei triste.

– Patrícia, tristeza não ajuda – Maurício me orientou. – Ore por ele e dê-lhe um passe, disperse essas energias negativas.

— Coitado, tão pequeno e sofrendo! Sinto-me impotente para ajudá-lo.

— Não pode sofrer no lugar dos outros. Cada um tem a lição para fazer que compete ao seu aprendizado. É por isso que nem todos os desencarnados conseguem autorização para visitar encarnados queridos. Necessitam, para essas visitas, estar aptos, conscientes dos problemas que poderão encontrar. Ver entes queridos sofrendo não é fácil, principalmente sabendo que nem sempre é possível ajudá-los.

Dias depois, meus pais foram visitar minha tia. Maurício e eu fomos vê-los. Meu pai estava recebendo muitos ataques das trevas e, com ele, todos de casa. Mais do que nunca esta frase veio à minha mente, como certa: "Onde há luz, as trevas tentam apagá-la".

Minha priminha, sensitiva, estava preocupando a família. Nenhum espírito estava perto dela, irmãos perturbados não entravam na casa de minha tia. Mas eles podem agir de longe e estavam fazendo isso. Concentravam-se nela e faziam sentir-se obsedada. Ela estava chorona e irritada. Procuravam fazê-la imitar alguns hábitos que eu tinha quando encarnada. Queriam que pensassem que era eu que a obsedava. Meu pai concentrou-se, orou, deu passes nela para destruir o vínculo que a ligava aos irmãos nas trevas do erro. Ela voltou ao normal.

Fiquei preocupada e Maurício esclareceu-me:

– Patrícia, esses irmãos necessitam de orientação e vamos doutriná-los nas reuniões de desobsessão.

– Mas, enquanto isso, vão perturbar...

– Os encarnados sabem se defender. Não viu seu pai orar e desintegrar, pela força mental, o que eles construíram? Ainda teremos esses irmãos como amigos.

Vendo-me um pouco decepcionada e indignada, Maurício continuou esclarecendo:

– Emmanuel disse sabiamente em um de seus livros, ditado ao Chico Xavier: "Ninguém socorre um náufrago sem sofrer o chicote das ondas". A luz sustentada na fé e na sapiência se fortalece com ataques contrários. É com seus sopros que se engrandece. Um perturbador pode induzir-nos ao mal e, nesse ambiente hostil, o encarnado pode ceder, agindo em oposição às leis divinas. O espírito perturbador pode nos causar mal e sofrimento com seu assédio, atingindo até nosso corpo físico, mas em momento algum ele pode tornar-nos maus. É nesse ambiente hostil que o servo bom e fiel fortifica e consolida a sua vivência para Deus. Por isso, se impedirmos que um ente querido seja testado pelos espíritos, pode acontecer que se sinta frustrado, pois não tem certeza de que, se passar novamente pela mesma situação, terá forças para superá-la. Porque, Patrícia, há uma grande ilusão em muitos que creem, quando esperam um Céu sem problemas. Oposição e composição fazem parte da atividade da criação Divina. Dialogando sobre esse ponto, vem-me à lembrança o chamamento do Grande Mestre: "Vinde a mim todos os que trabalhais e vos achais carregados, e eu vos aliviarei. Tomai sobre vós o meu jugo, e aprendei de mim, que sou manso e humilde de coração, e achareis descanso para vossas almas. Porque o meu jugo é suave, e o meu peso é leve".[19]

Meu amigo fez uma ligeira pausa e continuou a elucidar-me:

– Veja bem, Ele não nos induz a pensar que nos irá proporcionar uma vida ociosa, mas, sim, que aprenderemos com Ele que as dificuldades que porventura venhamos a passar não devem ser vistas como castigo, mas como situações que nos põem à prova. Se vencidas, sentiremos o sabor da vitória sobre nossas inferioridades e, se sucumbirmos, provamos o fel da derrota moral.

Veja bem o seu caso: nasceu numa família igual a milhares de outras. Veio ao mundo físico, partiu e não deixou marcas. Você, ao ler e ouvir orientações sobre o aprimoramento da personalidade, acordou para o desenvolvimento do potencial humano de ser bom conscientemente, por livre e espontânea vontade. Você sente, e

---

19. Mateus, 11:28-30 (N.A.E.).

saberá com detalhes no futuro, que teria um final de vida no corpo físico mais ou menos difícil. No entanto, com seu constante exercício na atitude do bem, quitou suas dívidas passadas e desencarnou tranquilamente. Na verdade, nem viu essa passagem, quando acordou estava entre amigos.

  Maurício silenciou e fiquei a pensar. Meu amigo tinha razão, agradeci com um sorriso sua preciosa lição.

  Voltamos à Colônia e pensei bem em tudo o que vi e ouvi de Maurício. Só então entendi o porquê de muitos internos na Colônia não terem autorização para ver seus familiares. Ao vê-los felizes, nos alegramos. Se estiverem em dificuldades, temos que ser fortes, porque, às vezes, só nos resta chorar junto.

  Sei de muitos casos tristes que ocorreram com internos da Colônia ao visitar familiares. Não é fácil, por exemplo, para uma mãe ver seus filhos pequenos, órfãos, às vezes jogados na rua ou com alguma madrasta a judiar deles. Ou, para um pai, ver seus filhos brigarem pela fortuna, ou um filho roubando o outro. E a filha ou o filho verem os pais maldizerem a Deus pelo seu desencarne. Não é fácil saber aqui, desencarnado, de traições e de entes queridos que se afundam no vício. Necessitam os desencarnados estar preparados, firmes no conhecimento para superar esses fatos, porque, do contrário, podem desesperar-se. Mesmo para os que aprenderam a amar a todos como irmãos, os que pelo estudo e trabalho tornam-se moradores da Colônia, servos do Pai, sentem os sofrimentos daqueles a quem amam. Só os que sabem, entendem que tudo tem razão de ser, que mesmo os amando não podem interferir no seu livre-arbítrio, e que a colheita pertence a cada um.

Nesses momentos, solidários com o sofrimento de entes queridos, vem-me à memória o aparente desabafo do gigante e genial Nazareno, na sua célebre frase: "Ó geração infiel e perversa! Até quando estarei convosco e vos sofrerei?"[20]

Tantas vezes desejei ardentemente nestes anos ajudá-los, sofrer no lugar deles. Mas não se pode fazer a lição do outro. Aquele que faz a lição que cabe a outro, impede-o de aprender. No meu entendimento, comete-se grande falta de caridade privar alguém de aprender. Assim, sempre que os sinto com problemas, oro, envio-lhes fluidos de coragem, incentivando-os a aproveitar do melhor modo o aprendizado. As dificuldades vencidas impulsionam-nos ao progresso. Problemas resolvidos, lições aprendidas.

---

20. Lucas, 9: 41 (N.A.E.).

26

Trabalhando com Frederico

Estava orgulhosa por receber meus bônus-hora. Todos os trabalhadores têm período de descanso, mas os que querem trabalhar nesse período ganham dobrado. Não estava necessitando de descanso, então, entusiasmada, passei a trabalhar muitas horas com Frederico.

Quando a atividade era muita, sentia-me cansada, mas logo me refazia.

Meu amigo tem uma sala na parte do hospital, onde estão os internos melhores. Para que vocês entendam: ele fazia um trabalho de psicólogo ou de psiquiatra. Continuava, como secretária, a organizar horários, fichas e encaminhar os pacientes. Enquanto eles conversavam com Frederico, eu ficava sem fazer nada.

– Patrícia – convidou-me Frederico –, não quer entrar na sala e ouvir os pacientes, a fim de conhecer os motivos que trazem estes nossos irmãos a conversarem comigo?

– Sim – respondi contente.

Percebi então os inúmeros problemas que têm, e a maioria deles está em tratamento. Escutava sem nada dizer, às vezes me dava vontade de rir, outras me emocionava. Como dizia vovó, nada como ajudar para compreender. Vendo, sentindo os problemas dos outros, dei graças ao Pai por não os possuir, por não os ter criado para mim.

A maioria dos problemas deles era sobre os entes encarnados. Pediam para visitar os familiares ou ajudá-los. Só que não se consegue auxiliar quando ainda se está entre os necessitados de ajuda.

Quase todos falavam de sua vida encarnada e como desencarnaram. Frederico escutava atencioso, indagando de vez em quando. Uns reclamavam do choro dos familiares que os incomodava. Outros pediam orientações de como fazer para não escutar os lamentos e chamados dos entes queridos.

"Deve-se orar por eles", falava calmamente Frederico, "ter paciência, pois o tempo passa e suaviza tudo".

Meu amigo respondia a todos, orientando-os com sabedoria. Também anotava os endereços, nos casos mais aflitivos. Quando finalizava o horário de atendimento, Frederico ia às residências anotadas e tentava orientar, ajudar os encarnados, motivando-os a se consolar e deixar de perturbar os entes queridos.

Mas havia queixas diferentes. Uns julgavam-se esquecidos, especialmente pelos cônjuges. Alguns pediam para voltar, e até no corpo físico. Outros não queriam reencarnar, nascer num outro corpo, mas queriam o deles mesmo. Um até pediu para voltar uns dez anos mais moço.

Às vezes, pensava: "Frederico não conseguirá sair dessa". Mas, como grande conhecedor do espírito humano, falava educadamente, com tranquilidade, convencendo os atendidos. Alguns não gostavam das respostas, mas acabavam aceitando. Muitos voltavam várias vezes até superar seus problemas ou parte deles. Isso porque, infelizmente, fixavam-se tanto nos seus problemas que não viam mais nada, e outros gostavam de tê-los, necessitando, por isso, de maior tratamento.

Narro alguns casos, não por curiosidade, mas para que sirvam de lição a todos nós.

– Veja bem, dr. Frederico – disse um senhor. – Escute o que lhe digo e me dará razão. Sempre fui muito trabalhador, tive posses. Honesto, nem sempre. Não posso mentir, pois sei que não iria enganá-lo. Só tapeei alguns trouxas nos negócios. Minha primeira esposa ajudou-me muito, não tivemos filhos, ela desencarnou e casei-me com outra. Minha segunda esposa é linda, tivemos filhos, mas a danada me traiu e, quando descobri e fui matar o safado, ele é que me matou. Quero voltar e tirar os filhos dela, porém não quero vingança, sofri muito com esse pensamento, agora já perdoei os dois. Meus filhos irão se perder com ela, irão errar, tenho certeza. Não quero ir como desencarnado, eles não me verão. Não dá para o senhor me fazer voltar?

Frederico, bondosamente, tentou esclarecê-lo:

– Meu irmão, quando estava encarnado, viu alguém desencarnado voltar ao corpo morto? Seu corpo, após tanto tempo, já é pó. Isso que você quer é impossível! Lembro-lhe de que os encarnados, todos eles, têm oportunidade de seguir o Bem. Seus filhos não estão desamparados por Deus. Você pode ajudá-los.

– Mas eles não me darão crédito. Nem atenção.

– Não desanime sem tentar. Já leu a Parábola do Lázaro e do Rico?

– Já, a do Lázaro, pobre, e a do rico que morreu e quis voltar para avisar seus irmãos e não pôde.

– Leia novamente com atenção.

– O senhor não pode me ajudar?

– Posso. Irei, por você, tentar ajudar seus familiares.

– O que queria mesmo era voltar encarnado e tirar meus filhos dela, para educá-los melhor.

— Meu irmão, você já reencarnou muitas vezes. Se voltasse, recordando de tudo, talvez tentasse mudar. Mas, com o esquecimento do passado, erraria de novo. Por que não se fortalece nos ensinos da boa moral?

Aquele senhor saiu não muito satisfeito.

— Frederico — falei —, parece incrível escutar esse pedido. Pensei que os desencarnados tivessem mais consciência.

— Deveriam ter, mas não diferem muito dos encarnados. Não se tornam melhores pelo desencarne, mas sim quando aprendem. Esse senhor não se preocupou em educar os filhos; agora está sendo sincero, preocupa-se por eles, mas tardiamente. Parece o rico da parábola, cuja leitura recomendei com atenção.

— E fez um pedido mais incrível ainda: voltar com o mesmo corpo.

— Embora saibam ser impossível, tentam. Se isso fosse possível, seriam muitos a voltar.

— Ainda bem que não é.

Frederico voltou ao lar terreno dele e fez o possível para chamar todos à responsabilidade. No dia seguinte, tranquilizou aquele senhor. Disse que a esposa estava sendo boa mãe e, pelo menos, amava os filhos. Assim, ele resolveu seguir os conselhos de Frederico. Melhorar e aprender para poder, no futuro, ajudar os filhos.

Uma mulher, com expressão sofrida que dava dó, disse lacrimosa:

— Dr. Frederico, não quero parecer ingrata. Desencarnei, sofri muito, vaguei pelo Umbral, fui socorrida e sinto-me melhor. Porém... É que não gosto do Umbral, tenho horror a ele, não quero vagar e... Também não quero ficar aqui. Não gosto. Tratam-me bem, mas recebo tratamento igual ao de todos. Não posso comer carne nem tomar meus aperitivos. Detesto estar desencarnada! Queria morrer mesmo. A morte não é como esperava. Se pelo menos existisse o Céu...

— Será que, se houvesse o Céu como pensava, a senhora estaria nele?

Ela não respondeu. Estranhei, era a primeira pessoa que ouvia, diretamente, dizer que não gostava da Colônia. Frederico continuou:

— A senhora está insatisfeita consigo mesma. O que a Colônia pode lhe oferecer é isso que recebe. Enquanto muitos são felizes aqui, há os descontentes como a senhora. Que quer realmente?

— Não sei. Não queria ter desencarnado, mas também não gostava da minha vida encarnada. Talvez se reencarnasse rica, linda e inteligente.

— Para fazer o quê?

— Ser feliz, gozar a vida.

— Por quanto tempo?

— Se soubesse não estaria aqui – disse sem paciência.

— Minha irmã, já tentou ser feliz trabalhando, sendo útil?

— Não.

— Já experimentou sentir alegria em ajudar o próximo? A senhora precisa se amar para aprender a amar o próximo. Deixar de ser uma necessitada e tornar-se útil. Aqui na sua ficha está anotado que está bem. Por que não se dispõe a ajudar?

— Acho tão difícil...

— Amanhã voltará para conversarmos melhor. Tente hoje ser útil por duas vezes.

A senhora saiu como entrou, lacrimosa.

— Frederico – indaguei –, ela queixa-se de estar na enfermaria. Por que tive um quarto só para mim?

— Patrícia, Jesus recomendou-nos que vivêssemos, encarnados, entesourando bens espirituais, dando valor à parte verdadeira, a que nos acompanha após a morte do corpo. Todos que fizeram o que Jesus recomendou, dizem não merecer esse simples tratamento, ou seja, ser alojado por um curto período num quarto individual. Para estes, estar aqui é venturoso. Outros, imprudentes e orgulhosos, não gostam de se misturar, esqueceram-se de que são irmãos de todos e que o Pai é um só. Chegam aqui tais como mendigos, e alguns a exigir regalias que não fizeram por merecer.

  Aos poucos aquela senhora foi mudando, Frederico tudo fazia para que entendesse que só o Bem a tornaria feliz. Ela começou a fazer pequenas tarefas, embora resmungasse. Frederico me disse que os orientadores da Colônia tentariam ajudá-la para que vencesse a ociosidade ou ela teria que reencarnar. A Colônia não abriga ociosos.

  Um senhor, aparentando trinta e cinco anos, entrou na sala um tanto envergonhado:

  – O doutor me ajudaria? Gosto daqui, quero ficar, mas sinto falta de sexo.

  – Você gosta daqui porque solucionou um dos pesos que aflige o ser humano, que é a disputa da sobrevivência. Aqui recebe muito, até os reflexos de sua doença estão sendo superados. Está abrigado, alimenta-se, não sente frio nem calor, enfim, está acomodado. Mas, ao mesmo tempo, anseia pelas satisfações que o mundo físico lhe proporcionava. Sente falta somente do que julgava bom, dos prazeres. Vou ajudá-lo. Para não ser atingido por esses ecos de satisfações do mundo físico em qualquer hora, é necessário que eleja, com toda sua força e atenção, um objetivo aqui no mundo espiritual, onde agora vive, e que a ele se dedique com toda sua alma. Assim, as energias que hoje lhe trazem um eco do passado se dirigirão para esse novo objetivo. Aconselho-o a ser útil, a trabalhar, a estudar, a interessar-se em fazer o Bem a tantos irmãos daqui mesmo, e aos alojados na outra parte do hospital, que sofrem. Assim estará liberto parcialmente dos ecos das satisfações do mundo físico. No seu caso, do desejo sexual.

Já havia escutado uma mulher queixar-se do mesmo assunto, e Frederico ter-lhe dito que se dedicasse com carinho a uma atividade, trabalho ou estudo, para ficar parcialmente liberta desses desejos.

Aquele senhor era o último atendimento do dia. Tendo ainda tempo, indaguei a Frederico, querendo aprender:

– Por que aquela senhora se libertaria parcialmente e não plenamente, se aqui realmente não se tem necessidade dessas funções?

– O apego ou a escravidão a qualquer uma das atividades que gere, por exemplo, o impulso da gula, do sexo, da mentira, do muito falar; os vícios, tanto aparentemente inofensivos quanto prejudiciais, na visão da sociedade, fazem parte da busca incessante do homem em preencher seu vazio físico.

"O homem é a soma de todas as experiências pelas quais a humanidade vem crescendo, através dos incontáveis milênios de que temos notícias. O primeiro sentido a se manifestar nos seres foi o tato e, por meio dele, o homem teve seus primeiros prazeres. O segundo, o grande, foi o da sobrevivência, ou seja, alimentar-se e procriar-se. Mas, falando especificamente da procriação, porque os outros sentidos estão no mesmo plano, ela é o maior dilema das pessoas, porque condenam o sexo promíscuo, mas não ensinam ou explicam por que todos o tem. Se ele é mau, por que o possuir? Se ele é bom, por que o reprimir? A chave da questão está na sua fonte. Se, em um rio, no meio do seu curso, você erguer um dique para que as águas não corram mais naquele leito, terá trabalho constante ao reforçar o dique todos os dias. As águas ficarão represadas a cada dia com mais força e poder de pressão. Se houver descuido, o dique se romperá e sua ação devastadora será mil vezes maior do que quando as águas estavam no seu curso normal. Da mesma forma é essa fabulosa energia vital. No seu primeiro impulso ela seduz o homem com prazer, para garantir a perpetuação da espécie. O ser humano, então, se torna escravo dessa energia. Um mero reprodutor da espécie. Mas como a prole pesa nos ombros dos genitores, a sagacidade da inteligência, por não querer abster-se do prazer, arranjou meios para neutralizar a prole e ficar somente com o prazer. Outros homens, por devoção ou crença, abstêm-se do uso dessa energia. E isso pode, num futuro próximo, arrebentar e produzir mais estragos ou adormecer essa energia, secando seu leito com prejuízo dele mesmo.

Alguns poucos, em vez de fazer diques ou amortecer essa energia, remontam à fonte vital. Procuram saber de onde nasce essa energia que é capaz de fazer nascerem os seres. E por reconhecer que ela nasce do próprio Eterno, desviam-na do leito do prazer mundano, que proporciona a perpetuação da espécie, e dirigem-na para a espiritualização do indivíduo, proporcionando a perpetuação da alma. A libertação não se faz pela repressão, mas sim pela compreensão do que o homem é. Baseados nisso, usam toda a energia que os sustenta no sentido de possibilitar que renasça o novo homem, como cidadão cósmico, não mais interessado nos prazeres egoístas, mas na glória da manifestação de Deus no homem e em todos seus filhos.

"Não poderia, Patrícia, falar isso que lhe falo para aquele senhor, ele não entenderia. Está ainda escravo de vícios, e quando tiver um objetivo maior, ficará liberto parcialmente, porque só estão livres plenamente os que fizerem conforme o exemplo citado. Ele não entenderia, como assim poucos compreendem o que Paulo de Tarso disse: 'A natureza sofre e geme dores de parto até que nasça o filho do homem'".

Depois de alguns dias trabalhando com Frederico, em que aprendi muito, indaguei se ele gostava do que estava fazendo.

– Há tempo, Patrícia, estudo o comportamento do ser humano em todas as suas faces. Não há trabalho do qual não goste. Sou feliz em ajudar.

Tantos fatos diferentes vi nestes poucos meses de desencarnada. O que será que os encarnados pensarão ao ler tudo o que narro? Vão rir? Ficarão espantados? Vão descrer? Só desencarnando, para conferir.

27
Preparando para estudar

Cada vez mais ansiava por aprender e ser útil. Dormia poucas horas como também me alimentava pouquíssimo, aprendi a absorver o alimento da atmosfera e também tomava pouca água. Dias antes do Natal, concluí o curso sobre alimentação, que foi muito proveitoso. A água aqui é diferente, magnetizada, sinto-a perfumada. Sempre gostei muito de tomar banho, e, assim, no curso aprendi a plasmar a limpeza tanto do corpo como das roupas que usava, a limpar-me, a higienizar-me pela mente. Não comer é uma enorme vantagem, porque não há necessidade de ir ao banheiro, e não tomando água em excesso não é necessário urinar. Isso me era agradável. Começava a viver espiritualmente e, com isso, as impressões do corpo físico e as necessidades iam sendo superadas.

Logo iria começar meu curso e foi com muita alegria que escutei de Frederico:

— Patrícia, vou ser um dos instrutores do curso que irá fazer.

— Vai deixar este trabalho maravilhoso? Irá por mim?

— Amo todas as formas de ser útil. Este trabalho é temporário. Depois dele, voltarei a dar aulas numa Colônia de Estudo. Há tempos queria participar desse curso, é bom recordar e renovar conhecimentos.

— Frederico, sou-lhe grata. Gostei muito de trabalhar com você e do meu trabalho na escola. Penso em voltar a fazê-los.

Frederico sorriu.

— Patrícia, é bom gostar de muitos trabalhos, conhecer muitas formas de ser útil. Quando terminar seu estudo, poderá escolher o que for melhor para si e para o maior número de pessoas.

Maurício deu-me algumas dicas sobre o curso.

— Patrícia, vai morar temporariamente no setor residencial da escola, na parte destinada a estudantes nesse interessante aprendizado. O curso que fará é para que tenha conhecimentos do plano espiritual, tendo como objetivo instruir os desencarnados sobre como viver espiritualmente e conhecer tudo: Colônias, Postos de Socorro, Umbral, acompanhar os trabalhos espirituais junto a encarnados etc. Para os que não têm conhecimento algum, o período do curso é mais intenso. Para os que têm, é o seu caso, o prazo é menor. Tudo é bem organizado. Há data certa para início e término. O seu demorará nove meses. O grupo é pequeno, terão três instrutores.

— Todos os desencarnados fazem esse curso?

— Deveriam ou seria o ideal. Infelizmente, a porcentagem dos que querem aprender é pequena. Depois, para fazer esse curso, precisam estar adaptados, conscientes do seu estado de desencarnados, querer aprender para serem úteis e, o principal, gostar, amar o plano espiritual.

— Quem vai fazer o curso comigo?

— A equipe é ótima, gostará de todos. Você é a mais novata. Os outros estão há muitos anos por aqui. Alguns são protetores de encarnados ou querem ser, aprendem para melhor orientar. Outros há tempo trabalham na Colônia e agora se interessam em conhecer todo o mundo espiritual.

— Maurício, existe só esta forma de conhecer o plano espiritual?

— Não, esse curso é o modo mais fácil e mais organizado, porém muitos trabalhadores conhecem-no servindo e socorrendo. Você, Patrícia, não ficará só vendo, aprenderá participando e ajudando.

Meu quarto seria ocupado por outra pessoa, ali estivera por curto período e sabia que um dia teria de deixá-lo. Não senti tristeza, agradeci de coração às senhoras, amigas de vovó, pela acolhida carinhosa. Minhas violetas ficariam com vovó, até terminar meu curso, depois as levaria para uma Colônia Escola para onde iria. Estavam lindas e floridas minhas violetas, olhando-as motivava-me mais ainda em aprender, continuar a ser feliz. Levei-as para o quarto de vovó, colocando-as no peitoril da janela de seu quarto. Teria pequenas folgas durante o curso, quando viria visitar vovó e minhas violetas. Arrumei alguns pertences para levar ao alojamento da escola e o que achei desnecessário, deixei com vovó.

No horário marcado, Maurício veio me buscar. Caminhamos lado a lado.

— Patrícia, minha tarefa junto a você termina hoje.

— Maurício, sei que não gosta de agradecimentos, porém de coração lhe digo: Obrigada! Espero não ter dado muito trabalho.

— Foi um prazer, tornamo-nos amigos e o seremos para sempre.

Entramos na escola por outro portão. Conhecia aquela parte, mas, naquele momento, pareceu-me diferente, mais bonita. Viera para estudar, como aprendiz, isso fazia me sentir diferente. Estava curiosa para saber como seria esse estudo tão falado. Muito escutava sobre isso, quando encarnada e nestes meses na Colônia. O que realmente estudaria? Que iria de fantástico ver e conhecer?

Emocionei-me. Meu coração batia apressado.

Fim

Ao terminar a leitura deste livro, talvez você tenha ficado com algumas dúvidas e perguntas a fazer, o que é um bom sinal. Sinal de que está em busca de explicações para a vida. Todas as respostas que você precisa estão nas Obras Básicas de Allan Kardec.

Se você gostou deste livro, o que acha de fazer com que outras pessoas venham a conhecê-lo também? Poderia comentá-lo com aquelas do seu relacionamento, dar de presente a alguém que talvez esteja precisando ou até mesmo emprestar àquele que não tem condições de comprá-lo. O importante é a divulgação da boa leitura, principalmente a da literatura espírita. Entre nessa corrente!

CONFORTO PARA A ALMA

Psicografia de
VERA LÚCIA MARINZECK DE CARVALHO

De ANTÔNIO CARLOS e ESPÍRITOS DIVERSOS

Romance | 15,5 x 22,5 cm
288 páginas

"Todos nós passamos por períodos difíceis, alguns realmente sofridos. O que ocorreu? Como superar essa situação? Normalmente há o conforto. Neste livro, são relatadas diversas situações em que alguém, sofrendo, procura ajuda e são confortados. São relatos interessantes, e talvez você, ao lê-lo, se identifique com algum deles. Se não, o importante é saber que o conforto existe, que é somente procurar, pedir, para recebê-lo. E basta nos fazermos receptivos para sermos sempre reconfortados, isto ocorre pela Misericórdia do Pai Maior. Que livro consolador! Sua leitura nos leva a nos envolver com histórias que emocionam e surpreendem. E como são esclarecedoras as explicações de Antônio Carlos! "

boanova@boanova.net
www.boanova.net | 17 3531.4444

AS RUÍNAS

Vera Lúcia Marinzeck de Carvalho
Do espírito Antônio Carlos

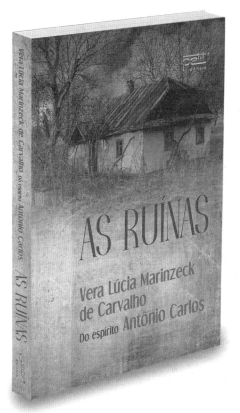

Romance | 15,5 x 22,5 cm
208 páginas

" Aqui está mais um romance com que a dupla Antônio Carlos, espírito, e a médium Vera nos presenteia. "Ruínas", no dicionário, tem o sentido de destruição, causa de males, perda. Ele nos conta a história de vida de Fabiano, que procurou o espiritismo pelos pesadelos que tinha com as ruínas perto da cidade em que morava. Encontrou ajuda e se maravilhou com a Doutrina Espírita. Fabiano também teve outro pesadelo, e acordado. Familiares e amigos o acusaram de assassino. Como resolver mais essa dificuldade? Você terá de ler o livro para saber. Este romance nos traz muitos ensinamentos! "

boanova@boanova.net
www.boanova.net | 17 3531.4444

Levamos o livro espírita cada vez mais longe!

📍 Av. Porto Ferreira, 1031 | Parque Iracema
CEP 15809-020 | Catanduva-SP

🌐 www.**petit**.com.br
www.**boanova**.net

✉️ petit@petit.com.br
boanova@boanova.net

📞 17 3531.4444

💬 17 99777.7413

Siga-nos em nossas redes sociais.

f **@**
@boanovaed

♪ ▶
boanovaeditora

CURTA, COMENTE, COMPARTILHE E SALVE.
utilize #boanovaeditora

Acesse nossa loja   Fale pelo whatsapp